美女は何でも知っている

Mariko Hayashi
林真理子

マガジンハウス

美女は何でも知っている

目次

上級美女大作戦

美女は踊る

高めの女修業

美女は何でも知っている

イラスト＝著者

上級美女大作戦

美女は大変

美女入門PART4『トーキョー偏差値』の何倍も売れた『ダイエットSHINGO』。この時の慎吾クンの担当トレーナーが、アンアン編集部のホシノ青年を通じ、

「三ヶ月で、ハヤシさんを冨永愛にしてみせましょう」

とおっしゃってくれた。私は大喜びし、まわりに、

「私のこと、〝愛ちゃん〟とか〝愛〟と呼んで」

と言いふらしている。

が、私とてそんなにバカじゃない（あたり前だ）。愛ちゃんと会ったことがあるので、本人をまのあたりに見た。顔の大きさが違う、背が違う、まず何より骨が違う。このぶっとい骨と違い、あっちは細く長い上等の骨で出来ているって感じ。でも冨永愛に絶対してみせる、って言うならしてもらおうじゃないの！　そして、その最初のトレーニングが、今月終わりに行わ

れることになった。

例によって、

「じゃ、その日まで好き放題食べておこーっと。その方がメリハリがついて効果がわかりやすいもんね」

と勝手な言いわけをして、食べて飲んでいる。フグにヒレ酒、フレンチにワイン、鍋に日本酒と、お料理とお酒でセットにしているから、もう大変。たちまちジーンズのファスナーが上がらなくなった。

いいもん、冨永愛になったら買い替えよう。

ところで、まだ愛ちゃんになっていない私だけど、ヴィジュアル系作家として、モデルの仕事がいっぱい。このあいだは横浜のスタジオまで、CMとポスターを撮りに行った。

今年（二〇〇四年）のお正月の新聞広告で、某出版社（マガジンハウスではない）の女性誌全誌の広告モデルになった私。ジル・サンダーの黒いコートを着て、木の下に立っている。コピーは、

「女性がカッコいい国が、カッコいいと思う」

ふふ、私にぴったりよね。

そんなわけで引き続いて、そこの会社で創刊される女性誌のモデルをやることになった。顔のどアップということで、メイクに時間をかける。そしてスタジオに入り、丸い光の輪っかの

前に座った。この輪っかは強烈なライトなのだ。まぶしいったらありゃしない。が、こういう強い光のいわゆる〃とばし〃によって、シミや皺《しわ》を消し去ってくれるわけだ。

ポスターは別々に五人の女性が登場するのだが、そのひとりに今をときめく小雪がいる。一度対談で会ったことのある小雪ちゃんは、先に撮影を終え、

「ハヤシさん、お先に」

と、わざわざ挨拶してくださった。メイクを落としたばっかりの、白いさえざえとした肌がとても綺麗。

さて私は先にCM撮りを終え、次はポスター撮りとなったのであるが、ポラを何枚も撮られた。ショックであった。やっぱりこの年で顔のアップはつらいわ。そこには疲れ果てたおばさんの顔があるではないか。

撮り終えた小雪ちゃんのポラもテーブルに置かれていた。スタッフの人が一緒に並べておく。む、むごい。肌の張りがまるで違うのだ。目鼻の配置は仕方ないとしても、これほど肌と顔立ちに差がつくものかしら。

「ハヤシさんは、年をとってもステキな人、っていうことで出てるんですから、そんな比べても……」

私のあまりの悲嘆ぶりに、編集長が慰めてくれたが、私の心は暗く沈んだままよ。次の日、友だちに話したら、やはり、

「小雪と比べる方が間違ってる。そもそも出てるコンセプトが違うんだから」

ということであった。

ところで昨夜のこと、知り合い五人でフグを食べに行った。ひとりファッション業界の人がいて、話題はこのあいだの神田うのちゃんのコレクションのことになった。

「ドレスどれも可愛かったけど、いちばん可愛かったの、最後に出てきたうのちゃんだったよね」

と彼女。

「本当。外国人モデルなんかとても太刀打ち出来ないオーラがあったわ。堂々とした歩きっぷりに、笑顔がすごくよかった」

私は神田うのちゃんは、存在自体が才能だと思ってるのだけれど、今度ドレスのデザインの方にも進出したのである。若くて可愛くて、そのうえ才能がキラキラしているのだ。ふーむ、冨永愛ちゃんもいいけど、うのちゃんかなぁ……。いえ、なりたいっていうんじゃなくて生まれ変わったらの話ですけどね。

「ま、やっぱり年増だったらA子さんがいいかもね。あの人、ホントに綺麗ですもんね」

私は皆の共通の知り合いの名をあげた。ギョーカイ一の美女の栄誉を誇るA子さんは、年をとってますます綺麗になった。男の人にすごい人気である。

「でもあの人、すっごい整形してるじゃない」

とロをはさんだのはB子さん。この方も美女の名声が高い。

「十年かけて少しずつ、少しずつ直してきたんだって。みんなが言ってるから間違いないわよ」

美人は大変だ。陰でこんなことを言われてるんだ……。しかし何て言われてもいい(!?)。

来週からトレーニング頑張りますッ。

不精者におしゃれなし

いつも
同じものばっか
着てるといわれます
確かに…

さて私の〝冨永愛作戦〟であるが、あまりの忙しさに一回目のトレーニングを先延ばしにしてもらった。したがってまだ何も起こらない。

その間食べ続けている私。つい先日、某男性とお鮨屋に行った。二人で並んで腰かけた時、少々がっかりした。

「えー、この人って、こんなに小柄だったっけ、こんなに細かったっけ」

なんのことはない。私がデブになって大きくなっていただけなんですね。

そしてこれも三日前のことであるが、久しぶりに紺色のスーツを着ようとした。紺のスーツといっても、ドルチェ＆ガッバーナの細身のやつ。スカートがきつくなった、というのならばまだわかる。な、なんとジャケットがきちきちになったのだ。私は仕方なく別のジャケットに袖をとおした。中にぴっちりとしたインナーを着たところ、お腹が三重に波うってるのがはっきりわかるではないか。が、もう着替える時間はないので、大きめのバーキンでお腹の辺を隠して出かけることにした。

しかし、さらにショッキングなことは続く。最後に指輪をはめようとしたら、どうしても入らないのですね。

「ハヤシさん、指輪がきつくなったら本当にまずいですよ」

秘書のハタケヤマも言う始末だ。

「そう、そう、ハヤシさん、青山のジル・サンダーから電話があって、スカートの直しが出来てるそうです」

このあいだバーゲンで買ったスカートであるが、スリットがあまりにも過激なので縫ってもらっていたのである。が、黒のスカートなら何枚も持っている。不精してずうっと取りに行かなかった。スカートだけじゃなく、ジャケットもスプリングコートも袖丈を直してもらっていたのを私はすっかり忘れていたのである。ジャケットはちょうど今着る色と素材だったのに、思い出しもしなかった。昨日やっとそれを引き取ったところ、お店の人に言われた。

「ハヤシさん、このジャケットには、このあいだお買いになった、紺のサーキュラースカートを組み合わせてくださいね」

「え、なに、それ。私、そんなの買ってってたっけ」

「やだー、ハヤシさん。私の大好きなデザインだって何度も言ってましたよ」

本当に記憶がない。というのもあまりにもたくさんの服を買っているからである。お店の人はさすがにちゃんと憶えていて、あのインナーと合わせてね、あのスカートに合いますよ、などといろいろアドバイスしてくれるのであるが、肝心の私がとんと忘れている。コーディネイトなど不可能なのである。

とにかく私のクローゼットはきちきち。入り口で手が伸ばせる服だけ着ている。だから私はいつも同じ服を着ていることになるのだ。それに最近は太って、着られないものも出てきた。

不精者におしゃれなしと、つくづく思う私である。

ところで先週のこと、友だちみんなでパーティをした。いつも数人でやっている仲よし会があるのだが、今回は友人や知り合いを招《よ》ぼうということになった。

一次会は麻布十番の有名なイタリアン。入れ替わり立ち替わり、五十人ほどが来たのだが、今どきのトーキョーのおしゃれな人ばっかり。男の人で幅をきかせてるのは、外資の証券会社チームである。東大を出て年収ン億なんていう人。外見もカッコいい。あとはＩＴ関係の若社長も多かった。

友人が女の人たちをいっぱい連れてきた。彼女たちを見ていると、トーキョーの女の人たちも本当に変わったなあと思う。ちょっと前なら、こういう時、女の人はタレント、モデル、スチュワーデス、なんていう感じであった。ところが今はみんな女社長なのである。企画会社やネイルサロンを経営している。みんな若くてキレイで、一見タレントさんかなと思った。けれども名刺をもらうと、みんな「代表取締役社長」なのだ。すごい、すごい。美しさだけでなく、知性と野心を持っているなんて素敵じゃないの。

そして気づいたことは、ほとんどの人がノースリーブなのだ。春にはいまひとつの寒い夜だったというのに、みーんな肩を出している。中にはイヴニングドレスの人もいて、

「そうか、セレブ度というのは、露出と正比例するんだ」

と、私はすっかり感心してしまった。この頃女優さんたちも、みーんなナマ足にピンヒールだもんね。

二次会は東麻布の隠れ家的バーに、みなで移動した。東京タワーの真下、どうみてもガレージの一角だ。看板ひとつ出ていない。ふつうのドアを開けると、中が広いバーになっている。昨年の秋オープンした、東京の最先端スポットなんだって。途中でお店の人が、ガラガラと道に面したシャッターを開けてくれる。いっせいにどよめきが起こった。タワーがすぐそこにあるのだ。

冨永愛になったら、好きな男の人とふたりきりで来ようと心に誓う私である。

そして今日、冨永愛になるのを待ち切れずに、またいっぱい服を買ってしまった私です。クローゼットはもうあきらめて、仕事場のハンガーにかけることにした。コーディネイトのたびに、家中あちこち走りまわることになったのである。

いよいよ作戦開始

体重がこの五年間で最高値を記録した！

もうこうなってくると、体型はもちろん、顔もはっきり変わってくる。インタビュー取材の際、ポラを見せてもらった。

「何、これ。どうしてこんなに顔がむくんでるわけ!? それにすっごいデブに写ってるじゃない!!」

思わずカメラマンを睨《にら》みつける私。かわいそうに相手はたじたじとなり、ライトを変えたりする。が、よーく考えたら、単に私が急激に太っただけなのね。

冨永愛にしてもらう前に、メリハリつけようとやたら食べていたけれども、やっぱりこれはまずいかもしれない。しかも間の悪いことに新刊を出したためにサイン会まであった。

サイン会には私のコアなファンの方々が来てくださいます。お花やプレゼントを持って、行

列に並んでくださる方々は本当に有難い。が、私はその間、厳しい視線にさらされることになる。

「靴のヒールがキレイでした」

とか、

「ふくらはぎ、そんなに太ってないですよ」

などとアンケート用紙に書いてくるので、私も手が抜けない。美容院へ行き、ネイルもちゃんとしようと思っていたのに、その前のスケジュールがびっしりではないか。美容院はあきらめるとして、私は近くのコスメショップに飛び込んだ。ここでネイルを一本買い、見本台のリムーバーを使わせてもらおうと思ったのだ。ネイルの棚には、春の新色がいろいろ揃っている。何色か試し塗りをして、私の爪はストライプになった。

「すいません、リムーバー貸していただけませんか」

「あの、うちは置いてないんです」

私みたいな図々しいのが多いのだろう。リムーバーはないときっぱり。ど、どうしたらいいの。この汚いストライプの爪。仕方ないわ、サインをする時に隠すようにしましょう。

が、今夜のサイン会は日本橋丸善だ。丸の内ＯＬがいっぱいいらしてくれた。丸の内ＯＬといえば、洗練された隙のないおしゃれをすることで知られている。本と一緒に差し出された手を見ると、そりゃあ完璧な爪をしていらっしゃいます。本当に恥ずかしい。小説のサイン会でよかった。『美女入門』のサイン会だったら、「サギ」とか言われて石をぶつけられそう。

それにしてもファンの目は厳しい。ちょっと前のサイン会だと、

「マリコさん、ますますキレイになりましたね」

「初めてお会いするけど、女優さんみたい」

とかお世辞でも書いてくれたもんである。が、今回は一回もなし。中にひとつだけ、

「思ったよりキレイなんですね」

というのがあってむっとする。が、手抜きした私がいけない……。

そして私は心を決めた。

「こんなことをダラダラしていてはいけない。一日も早く、冨永愛作戦を始めなくては」

そんなわけでトレーニングコーチの先生のところへ行くことにした。わかりづらいところだからと、最初はアンアンのホシノ青年が案内してくれることになった。

「ハヤシさん、がんばってくださいね、応援してますよ」

気がつく彼は、流行の「ヌアラ」のトレーニングウェアをプレゼントしてくれたのである。しかもLではなく、Mサイズにしてくれる気配りが嬉しい。が、着替えてイヤになった。ステキなピンク色のトレーニングパンツ、おなかのあたりがぱんぱんではないか。結局、先生のところのものを借りることにした。トレーニングの前にまずはミーティング。

「いったいどんな風にしたいのか、どうかご希望をおっしゃってください」

この質問に不敵な笑いを浮かべる私。ふふ、待ってました。

「そりゃあ、冨永愛ですよ」

困惑の笑いを浮かべる先生。あんな冗談を本気にして、とその顔は言っていた。

「冨永愛はちょっと無理だと思いますが、それなりにして差し上げられるとは思いますよ」

ふーん、予想していたこととはいえやっぱりね。

そして私はトレーニングを開始した。長年運動などろくすっぽしなかった私は、体力もないし、運動能力ほとんどゼロ。あとで計画書をくれた。最初の三週間は、体重を落とすことではなく、体力をつけることをするということだ。

おーし、もう充分に太った。あとは上手に削っていくだけである。このぶよぶよとしたおなかが、どういう風にすっきりするのか楽しみだ。

飽きるのは早いが、それまでは異常なまでの集中力をみせる私。週に三回、一時間半から二時間のトレーニングスケジュールをびっしりと入れた。

「こんなの不可能です。どうやって仕事を入れるんですか！」

とハタケヤマが怒っていたが、今年の春から夏にかけて、私のテーマは、

「生まれ変わる」

そうしたら『美女入門』のサイン会をするのでよろしく！

妄想させて！

トレーニングをはじめてはや二週間。

そりゃー、大変です。なにしろ週に三日、二時間かけてみっちり筋トレをするのだ。もう仕事はたまりっぱなし。秘書のハタケヤマなど本気で怒ってる。

「ハヤシさん、いいかげんにしてくださいよッ」

が、先生は約束してくれた。

「三ヶ月たったら、ハヤシさんは劇的に痩せてすっきりしますよ」

が、先生は私の体力、運動神経のなさにびっくりしたらしい。とにかく最初は痩せることは考えない。炭水化物も甘いものも食べていいですよ、とおっしゃってくれた。

「えっ、本当。食べていいわけ！」

パスタも白いご飯も、ケーキもいいんだって。最初はおっかなびっくり少しずつ食べていたんだけど、こういうことってすぐに馴れるんですね。もお好き放題してたら、あっという間に真っ青になるぐらい太ってしまったではないか。

「いいんですよ。今のうちにいっぱい食べてください」

という言葉を信じて、ホントに食べてる。ああ、幸せ。だけど洋服がこんなに入らなくていいんだろうか。いいや、いいや、今のところトレーニング代にお金がかかるので、この三ヶ月は洋服をいっさい買わないことにした。痩せたアカツキには買って買って買いまくるぞー。パリにも行くしさ。

「ところでハヤシさん、冨永愛になりたいそうですけど」

はい、何か悪いかしら。冨永愛にしてみせる、っておっしゃったの、そちらじゃないかしらん。

「女房とも話したんですけど、ハヤシさんのイメージっていうのは、冨永愛じゃなくて……」

デブのタレントさんの名を挙げたら、私、怒るから。

「ほら、宝塚にいたキレイな女優さん……」

「黒木瞳さんですか!!」

「いや、そうじゃなくて、えーと」

先生は奥さんに聞きにいった。

「天海祐希ですよ。ハヤシさんは痩せると、彼女に似てくるんじゃないかな」

あ、宝塚ファンの皆さん、怒らないでください。天海さんは宝塚でも数十年にひとり出るか、出ないかというほどの美女だ。私もお会いしたことがあるが、完璧なプロポーションに涼やかな美貌。もちろん私とは似ても似つかないけれども、先生は私を励ますためにそうおっしゃってくれたのだろう。

とにかくこのトレーニングを、冨永愛作戦から、天海祐希作戦に変えることにする。

ところで今、東京のいたるところに私の巨大な顔があるの、お気づきだろうか。新女性誌のモデルとしてポスターに出演したのだ。テレビコマーシャルにも出た。

が、顔のポスターはあまりにも大き過ぎるため、私と気づかない人が多い。夫もわからなかったそうだ。

先週も私はテツオに頼まれて広告に出た。テツオも秋に出す新女性誌の編集長になるのだ。が、こっちの広告はかなり渋いビデオ。なんでもスポンサーに見せるものだそうだ。

「えー、私をテレビCMにもポスターにも使わないわけ！　私をモデルにしないわけ⁉」

「そりゃあお願いしたいのはやまやまだけどさ、もう別の女性誌のモデルをしてるから、ちょっとムリかも……」

心にもないことをわざとらしく言うテツオであった。それでもキレイに撮れていた方がいいと、ちゃんとヘアメイクをつけてくれた。その後二人で表参道でお茶をする。

久しぶりに会うテツオは、一時期の小汚さを脱して、ちょっとシブいいい男になってきたじゃないの。着てるものもすっごくおしゃれだし、モデルを連れてるし（私のことね）表参道のカフェでもちょいと目立つ。

　二人でいろんな話をした。

「最近オトコいないのかよ、オトコ」

　いつも下品に聞くテツオだ。私は彼にこんな話をした。

　仮にAさんとBさんとしておこう。私の男友だちといおうか、ちょっと気になる人たち。時々はデイトする仲だ。私がモデルをしている新女性誌の新聞広告が出た日、私は彼ら二人にメールを打った。

「今朝の新聞広告に私が出てるから見てね」

　A氏の返信は、

「日経しか読んでないからわからない」

「ひ、ひどいじゃん。私は朝日と日経に出てるのよ」

　と返すと次の日、返信があった。

「昨日の日経はもうどこかに片づけたのでわかりませんでした」

　ところがB氏の方は、家中をひっくり返して朝刊を探し出してくれたそうだ。

「こっちの方が誠実よね。私にキがあるんじゃないかしら」

「ふうーん」

とつまんなそうなテッオである。

「何もしねえってことは、何のキもないことだぜ」

そりゃそうだけど、もやもやいろんなことを妄想したい春ですよ。

一緒に食べたい女

ここんとこダイエットネタばかりですいませんねえ。

だって週に三回もトレーニングに行ってるんだもん。おまけに二時間もびっちり。ハァハァぜいぜい……。運動嫌いで体を動かすのが大嫌いな私が、どうしてこんなにつらいめに。おまけに体重はちっとも減らないじゃん。

「今のままでいいんです」

とトレーナーの先生。

「体力と筋力をつけるのが先決ですから、体重を落とすのはもう少し後にしましょう」

そして三週間が過ぎた。先生は言う。

「いよいよ体重を減らしていきますよ」

一週間に二回、野菜ジュースとプロテインだけで過ごすんだと。

「ちょっと待ってください。私、毎晩会食の予定がぎっしり入ってて、プロテインだけっていうのはちょっと……」

「じゃ、何にも予定が入っていない週末にやってください」

そんなわけで日曜日、「プロテインの日」を実行することにした。前の晩からドキドキ。グレープフルーツを食べ、野菜ジュースを飲むのだ。前日はスーパーへ行き、グレープフルーツとセロリ、リンゴを買ってきた。ミキサーも戸棚の奥からひっぱり出した。

しかし目覚まし時計をかけておかなかったのですごく寝坊をした私。とてもじゃないがジュースをつくるひまはない。そのまま実家へ出かけたら、お腹が空いてもう倒れそう。が、ぐっとこらえて、百円ショップへ行く。ここで牛乳とプロテインを混ぜる小さな泡立て器を買ったのだ。そして低脂肪牛乳を入れてごくごく……。

が、相変わらずお腹は空いている。三時になるのがどれほど待ち遠しかったことだろう。三時になると、和菓子を一個食べてもいいの。お菓子屋へ行き、うーんと大きいドラ焼きにしようとした。これだって和菓子には違いない。が、思い直して草もちを選ぶけなげな私であった。

そして夕飯もプロテインと牛乳だけ。ここで夫と喧嘩をした。ささいなことなのであるが、空腹で気の立っている私は本当に頭にきた。それきり口をきいていない……。

さてその次の日。ヘルスメーターにのると、〇・八キロ減ってるじゃないの。やったね！

「こうして自分の体をデザインしていくのってすごく楽しいわ」

例によって私はみなに自慢しまくる。

「体力と筋肉つけて、時々は節食する。これが肝心なのね」

大喜びして昼間はお鮨を食べた。デザートのゼリーも食べた。

そして問題の夜がやってきた。ある男性と下町のレストランへ行くことになっているのだ。ここはおいしいことで有名であるが、出てくる量もハンパじゃない。いろんなものがひととおり出た後、締めはステーキというボリュームである。

私もその男性も、食べるの、飲むのが大好き。その店に行くからには、徹底的に食べるぞと決めているのだ。私は前もってメールを打っておいた。

「最近〝春のダイエット週間〟に突入しました。軽めにしてもらいましょう」

彼からもメール。

「僕もダイエット中なので、そうしてもらいましょう」

が、カウンターに座るやいなや、ワインを注文する私たち。あっという間に一本空け、二本めに突入。

フグを使ったサラダにカニコロッケ、アワビのステーキと、次から次へとおいしいものがこれでもかこれでもかと出てくる。ああ、おいしいお酒と飽食。人生の醍醐味ってこれよね。私たちはダイエットのことなど全く忘れて食べ続ける。こういう時、話はやっぱり男と女のことになりますね。

「女はやっぱり、ほっそりした美人がいいな。ガリガリに痩せてるのはイヤだけど、デブはごめんだよなァ」

ふうーん、イヤな感じ。

「そこいくと、○○さんはやっぱり綺麗だよ。このあいだ会ったけど、ますます美人になってたよな」

他の女のことをここまで誉めるって、ちょっとデリカシーに欠けるわ。

「でもあの人って、かなり整形してるって噂だけど」

ま、対する私もイヤな女ですけど。

「そんなことないよ。そんなはずはない。あの顔は整形なんかしてないよ」

やたらむきになった後、相手は私がプンとしているのに気づいたようだ。

「ま、女にもふた通りあってさ、人前に連れていきたい女とホテルに連れ込みたい女がいるけど、○○さんは典型的な前者だよね」

それでいくと私なんかどれにも該当せず、「一緒に食べたい女」ってことかしら。ここのお勘定もきっかりワリカンで払うしさ。

次の日、ヘルスメーターにのったら、見事に○・八キロ増えていた。本当に口惜しい。あの帰りゲロすればよかったかしらん、あのつらいプロテイン日が、全く無駄になった。ちなみに夫とはまだ口をきいていない。

シャネルの威力

このあいだ久しぶりにアンアン編集長のホリキさんとご飯を食べた。ホリキさんはずうっと昔から知っているが、相変わらずすごぉくおしゃれ（注：ホリキさんは女性です）。

マガジンハウスにはこのタイプが多いが、お給料のほとんどをお洋服に遣っているという噂がある。そういえば昨年は、ホリキさんを交えた五人で「物欲ツアー」ということで香港へ行き、買いに買いまくったっけ。

私がダイエット中なのを考慮してくれて、行ったところは目黒の野菜料理専門店である。タケノコのお刺身やら、フキノトウの味噌あえといったヘルシーなものばかり。酒カスでつくる野菜鍋も抜群のおいしさだ。ただ野菜を鍋につっ込むんじゃない。小さく切ってあらかじめ調理してある約三十種類の具を入れていくのだ。

えーと、これって何カロリーぐらいかしら。

今まで炭水化物カット、高カロリーOKのダイエットをしていたのだが、急きょローカロリー方式に入れ替わった。ゆえになかなか頭がついていかない。

「その時々で正反対のことをしてバッカみたい。そういえば昔、トキノ式をしてた時は、突然ご飯をもりもり食べ始めたわよね」

古くからの友人に笑われたぐらいだ。

そして鍋をつつきながら、話は当然今シーズンのファッションのことになった。

「ハヤシさん、最近いろいろ買ってる？」

とホリキさんに尋ねられ、

「ゼーンゼン」

と首を横にふる私である。

「個人トレーニングのお金はかかるし、体型は変わりつつあるし、最近出した本は売れないし、それにさ、もうじきロンドンとパリへ行くしさァ。今ここで洋服買うことはないんじゃないかと思うのよね」

「わー、パリか。いいなぁ。ここんとこちょっとご無沙汰なのよねぇ」

そういえば何年か前、ニューヨークの街角でお買物中のホリキさんとばったり出会ったこともある。あの後、すぐ二人で合流してバーニーズのバーゲンへ行ったっけ……。

「ハヤシさん、パリへ行くならシャネルよ。今年はシャネルのサマー・ツイードのスーツを手にいれなきゃね」

意外なことに思われるかもしれないけれど、ホリキさんのように、モード系の最先端のファッションをしている人にも、シャネルやエルメスといったものは人気がある。もちろんおしゃれ上級者の彼女たちは、他のものとすごくうまく組み合わせるわけであるが、私にはなかなか真似出来ない。

実は私も時々シャネルを買う。しかし、ぜんぜん着こなせていないと自分でもわかる。なんていおうか、そうしなきゃいけないと思って、中のインナーから靴まで買い揃えるのだ。

ご存知のように、私のふだんのファッションは地味でシャープなものが多い。出来るだけシンプルを心がけているのであるが、この反動で、時々ものすごくロマンティックなものを着たくなる。

アンナ・モリナーリもよく買った。あのぴっちりしたニットを、どうして着ようとしたのか自分でもよくわからない。鏡で背中を見るとぜい肉のさざ波が見えるし、前を見ると、可愛い花の模様が、お肉で左右上下にひっぱられてるわ。

シャネルにしても同じようなものであるが、ここのジャケットのふくれ織りのボリューム感は、驚くほど体型を隠してくれる。それに何よりシャネルの威力はすごくて、男の人とふたりきりでご飯を食べる時、とてもいい雰囲気になる。ま、相手が私なので、いい雰囲気といっても限界があるが、シャネルを着るといかにも「デイト」という感じになるんですね。

そんなわけでシャネル一式を着てみるのだが、どうも落ち着かない。すごくヘン。髪も雰囲気もカジュアルなのに、上から下までエレガントなものを着ると、いかにも借り着という感じになってしまうのである。このあいだはこれにバーキンを合わせて人と会ったら、どう見ても「金持ちのおばさん」になって悲しかったわ。

それでずうっと着なかったシャネルを、クローゼットから久しぶりにジャケットだけ取り出した。そしてドルチェ&ガッバーナの黒のインナー、ジル・サンダーの黒のミニに黒のパンプスを組み合わせた。そうするとピンクのジャケットがそんなに浮き上がらずにとても可愛い。ようやく私らしくなってホッとする。最近ファッション誌を見ると、シャネルをジーンズとコーディネイトするのもカッコいいみたいだ。

「ハヤシさん、絶対にシャネルのサマー・ツイードを買いましょうね」

とホリキさんは言い、私は必ず買うわ、と誓った。

ところで今日、トレーニングの際、サイズを測ったところ、ウエストがマイナス六センチ！このところリバウンドして、ワンサイズ大きくなっていたシャネルの服。果たして元に戻せるのか。詳しくは次々回のパリ篇で。

きみはペット

空前のペットブームだそうである。

うちの近所には、都内でも有数の高級住宅地がある。そのためワンちゃんを連れて散歩する人がとても多い。

日曜日の朝などは、来る人、来る人、ほとんどがワンちゃんを連れているといっても大げさではないだろう。みーんな犬種を言えるブランド犬ばかりだ。雑種のワンちゃんなんか一匹もいない。

若い夫婦はやっぱりチワワで、自由業っぽい、ちょっとカッコいい男の人は大型犬を連れている。ひと頃流行ったチャウチャウ（古いなあ）、シベリアンハスキー、ゴールデンレトリバーなんてまるっきり見ないが、彼らはいったいどこへ行ったんだろう。胸が痛む。

私はご存知のように猫派であるが、なんかここのところ肩身が狭くなったような気がする。

うちにいるのはお茶犬だけ
お茶犬って知ってる？

「犬も飼えないような、住宅事情の悪いところに住んでる人」

と決めつけられているのではないか。うちの場合はどちらかというと、

「犬も飼えないような、パートナー事情の悪い人」

という方があたっているかもしれない。以前、犬もいいかなあ、とちらっと漏らしたところ、

「散歩はどうする、めんどうはどうする。オレは絶対にめんどうみないからな」

ガミガミ言われてすっかり諦めた。

さて、最近のペットブームが、今までと違っているところは、女の人がまるでアクセサリーをするみたいに、小型犬を連れまわすところであろう。この代表格といえば、やはり川島なお美さんだ。雑誌で見ただけであるが、ものすごく可愛い犬を片時も離さず連れているようである。川島さんも小柄できゃしゃで、目がウルウルしていて、ご自身もチワワかマルチーズのような方だ。男の人だったら、ギュッと抱き締めたくなるだろう。そのニャゴニャゴした愛らしい女性が、もっと小さい愛玩物をギュッと抱き締める。これはかなり倒錯した色気といおうか媚びではないだろうか。男の人だったら、

「こっちの方を抱きたいぜ……」

と内心よだれを流すのではないか。

川島さんがそうだというわけではないが、ワンちゃんというのは、いろいろと恋のテクニックの道具に使えそう。その気のある男が目の前にいるのなら、

「あら、そうでちゅか」

と幼児語を使い犬とイチャイチャして、男を焦らす。が、反対の場合は膝にしっかりと抱いて、自然とわが身をガードする。

そういえばこんなことがあった。気取ったバーで二人の男性と飲んでいたところ、某女性が犬と某男性を連れて入ってきた。本当は犬なんか連れてこられないところなのに、彼女は常連のわがままさを通すらしい。まあ、何かと噂のある女性ではあった。一緒の男の人は、お金持ちで有名な人だ。

「私たち、今、そこでお食事してきたところなの」

彼女は私たちを見ても平然としたものだ。「ウソつけ」と私たちはこっそり言い合った。

「犬連れてけるレストランなんかあるわけないじゃん。今まで彼女の部屋にいて、この時間、犬と一緒に飲みに出てきたのよ」

私の推理を皆が正しいと言った。あの時、派手な彼女の腕に抱かれてた小犬はイヤらしかったなあ。こんなことを言うと下品であるが、

「さっきまであんたは、ベッドの傍で何を見てたの？」

と頭を撫でたくなったぐらいだ。

ところで『きみはペット』という漫画がある。キャリアウーマンが、うんと年下の男のコと愛し合うラブストーリーだ。私はこの感覚がよくわからない。年下の男のコを可愛がる、とい

う気持ちがまるでないせいだろう。

が、世の中の人というのは、トシマのちょっと金のある女というのは、みーんな若い男が好きと思っているようだ。

昨年のこと、ある先輩作家とフグを食べに行った。その方はニヤニヤして私に言う。

「ボクはね、来年はハヤシ君にイメージチェンジをしてもらいたいんだ」

「はい、頑張ります。もっと痩せて……」

「いや、そういうことじゃなくて。キミはいつも可愛くて若い女のコを連れまわしてるけど、来年はもうやめなさい。来年は若い男のコとツルみなさい」

「とはいっても、どうやって若い男のコと知り合えばいいんですか」

「こんなご時勢だから、そこらのモデルクラブの男のコに、ちょっと金を渡せばすぐについてくるよ。そういうコとパーティに来て、キミのハンドバッグを持たせたりするんだよ」

ふうーむ、かなり心ひかれる話ではないか。ワンちゃんはずうっとめんどうをみなくてはならないが、そのペットはタクシーに乗せて家に帰せばいいのか。

だが男にお金を遣うのはイヤだよなあ。誰か私に無償の愛を捧げてくれないかしら。そんな人いるわけないかい。ワンワン。

高めのパリ

ロンドン、パリへ行ってまいりました。

旅行の前に現地の友人が言った。

「ロンドンは物価がすごく高いから、買物はしない方がいいよ」

私はファックスを送った。

「買物はパリでと決めているので大丈夫。ロンドンは思索と教養の旅にするつもりです」

そんなわけで大英博物館や美術館をゆっくりと歩いた。今回の旅は、ロンドンからパリへ出るのにユーロスターに乗る。つまり列車の旅。飛行機を使わないので、スーツケースをゴロゴロ運ばなくてはならない。買物をしたら大変だ。そんなわけでボンドストリートの高級店もちらっと見るだけにする。買わないから言うわけじゃないが、やはり品揃えもイマイチ。ああ、早くパリへ行ってお買物したいわ……。

ということでロンドンに三泊した後、パリに着いた。ここで〝ショッピングパワー炸裂〟と言いたいところであるが、そんなことはなかった。

元ファッション雑誌編集者で、パリ在住の友人は断言する。

「ハヤシさん、いまは東京の方がずっと品揃えがいいと思いますよ。値段もそんなに変わらないし、ハヤシさんみたいな人は、馴染みの店員さんがいる東京で買った方が結局はお得ですったら」

なるほど……。それに出したばっかりの単行本があんまり売れていないので、購買意欲に拍車がかからない。思い出せば五年前はよかったなあ……。ちょうど友人とパリ旅行をしている最中、『不機嫌な果実』がベストセラーになったのだ。日本に電話するたびに増刷の知らせがあって、もうー、いろんな店で買いまくったものだ。

が、今回はそうはいかない。そもそもホテルがパリでいちばんリッチなフォーシーズンズなんだもん、買物は控えめにしなきゃね。パリのフォーシーズンズは世界でいちばん私の好きなホテル。昔はジョルジュ・サンクといったが、フォーシーズンズが買い取り、改装したのである。内装の贅沢さもさることながら、花の見事なことといったらない。アメリカ人のアーティストが担当しているのであるが、彼は写真集も出しているし、日本でパフォーマンスも行われたぐらい有名な人だ。たとえばロビィの花は、オブジェのように大きな円すいのガラスの花瓶が並び、初夏を思わせるグリーン一色の大きな花が角度をつけて生けられている。廊下は白いバラ一色だけの花瓶。

ここのダイニングルームで食べる朝食はとにかく素敵なの。真白いリネンのテーブルクロスの上にカフェオレのカップが置かれ、これまた白いリネンにくるまれてクロワッサンやペストリーが運ばれてくる。このおいしいことといったらないわ。中庭を見ながら、ゆっくりとカフェオレをすすり、チョコレートのペストリーを食べる幸せといったら……。

「ああ、大人になってよかった。ちょっぴりお金持ちになってよかった……」

と思う瞬間である。

が、私のお金持ち度はせいぜいそんなところであろうか。以前、

「シャネルのサマー・ツイードをパリで買ってくる」

と書いた。が、本店に行ったところ、あまりの高さにのけぞる私。友人が言ったとおり東京と値段はほとんど変わらない。スーツが五、六十万円する。この私といえどもやっぱりひるんでしまいますよ。

おまけにパリのブティックの勢力地図は完全に変わった。われら日本人はおとなしくなって、代わりに台頭してきたのはシンガポールとか台湾の人々。が、しかしヴィジュアル面はもうひとつである、正直なところ。シャネルやエルメスに来るのなら、もうちょっとおしゃれをしてくればいいのに、ちょっとね……。おまけにお付きの女性を、傍にずっと立たせとくのもイヤな感じ。

「さんざん非難されたけど、あれじゃ日本人の方がマシだったんじゃない。日本の女のコはキレイでおしゃれだったしさ」

友人も言う。

「そう、そう、みんな日本人ってそう悪くなかったって、今頃思ってくれてるんじゃないかしら」

ところで今年（二〇〇四年）、いろんな雑誌にいっぱい出たシャネルのコート、憶えてますか？　ミニ丈で衿と前合わせのところにフリンジがついた春のコート。可愛いことは可愛いが、なんと約七十万円という値段である。

「七十万円のコートって、いったいどんな人が着るんだろう」

とずっと疑問だった。着ている人を日本で見たことがない。が、パリの高級子ども服店で発見。そう若くないフランス人の女性があのコートを着ていたのですよ。初めて実物を見て感激。

そう、そう、服を買わなかった（あまり）いちばんの理由は、ハードトレーニングの成果で体型が変わりつつあったことだろう。が、三ツ星レストランで連日食べ続けた結果、一週間で三・五キロ太りました。オーマイゴッド！

年の差の現実

待ちに待った、アイドルK君との焼肉の日がやってきた。

といっても、もちろんふたりきりではない。あちらのマネージャーも同席するし、こちらからはアンアンのホリキ編集長、ホシノ青年などが一緒である。

考えてみると、焼肉を食べるのは何年ぶりだろうか。ダイエットのため、この二、三年は食したことがない。が、私の大好物の焼肉、昔は週に何回も食したものだ。

けれどもいい思い出がほとんどない。男の人とふたりきりで食べると、あまりにも私がガツガツしているので、すぐに嫌われる。

「もっとキミ、ゆっくり食べられないの……」

と注意されたことが何度もある。

いくらデイトじゃないといっても、今日はお行儀よくしなくっちゃね。

私を迎えにきたホシノ青年は言う。

「今夜は、Ｋさんのおごりだそうですよ」

「えー、悪いじゃん。あんな若いコに」

「でも、Ｋさんがぜひそうさせてくださいって」

なんていいコなんだろう。いくら売れっ子スターで長者番付の常連といっても、みんなにふるまうなんていうのは、若い人にはなかなか出来ないことです。

そして恵比寿のおしゃれな焼肉屋さんに到着。個室で待っていると、Ｋ君がマネージャーさんと一緒にやってきた。メニューを見ていろんなものを注文してくれる。特上のヒレ肉もいっぱい頼んでくれたし、前菜のサラダや漬け物、チヂミと、テーブルはもう並べきれないぐらい……。

まずは生ビールで乾杯。ビールを飲むのも久しぶりだけど、本当においしい。なんと二杯もいってしまった私です。それからはコントロールがきかず、ガッガッと食べまくった。もー、いつもと同じパターンではないか。

最後にニンニクくさいゲップをしながら、タクシーを拾おうと道路に立つ私。その時、雨の中、さっき別れたはずのＫ君が近づいてくるじゃないの。タクシーを一緒に見つけてくれて、中に乗り込む私に手を振る。

「ハヤシさーん、楽しかったよ。またどっか行こうねー」

ホントにいいコですよね。ああ、私がもうちょっと若ければ……。ちょっとどころじゃないけどさぁ。

さて、いま私たちトシマ女たちの話題となっているのが、「恋愛適齢期」という映画である。昔カッコいい女の代名詞だったダイアン・キートンが、すっかりおばさんになっている。彼女はバツイチでずうっとひとりでいるのだが、ふとしたことからジャック・ニコルソンと知り合い、ふたりはひかれ合うのである。この間いろんなことがあり、キートンは、二十歳ぐらい年下のキアヌ・リーヴスに熱烈に愛されるというひと幕もある。けれども結局は自分に合ったニコルソンを選ぶというストーリーだ。

これを見た友人たちは、みんなぶつぶつ言っていた。

「あんなおじさんより、キアヌの方がずーっといいに決まってるじゃないの」

「バッカみたいよね。もっと図々しく構えてればいいのに。後先のこと考えずに、キアヌの方を選ぶべきなのよ」

けれども別のひとりは言った。

「私はやっぱりキアヌはいらない。あんな男の人に見つめられたら、私はどうしたらいいのかわからない。私は、そんな女じゃありませんって、逃げ出したくなると思う」

そうだよなあ、あんな超ハンサムが一緒にいたら、女はいたたまれない。いつ嫌われるんだろう、いつそっぽを向かれるんだろうと、ビクビクしながら暮らしていくことになると思うわ……。

さて話は変わるが、私のダイエット作戦に大変な問題が持ち上がった。

トレーナーの先生が引っ越しすることになり、トレーニングがしばらくお休みということになったのである。

「ひぇー、どうすればいいの。こんなに食べてて、トレーニングをしなかったら、すぐにぶくぶく太っちゃうよ」

同じことを先生も考えたらしい。

「ハヤシさんはすごく太りやすい体質なんで、ちょっとでも休んだらダメ。ご自宅にうかがいましょう」

とおっしゃってくださったのである。

それでうちの応接間で、マットを敷いてストレッチや筋トレをすることになった。器具を使わない分、動きがかなりハードになり、そのつらいことといったら。次の日は太ももが痛くなり、ついヨッコラショ、という体勢になってしまった。

こんなに頑張っているのに、体重は増えたまんま。あたり前だ、ものすごく食べているのである。

ついこのあいだ、知り合いが長唄の会という風流なものに出ることになった。行けずにお花だけ届けたのだが、そのお礼にと言って、お饅頭の詰め合わせを届けてくださった。虎屋特製のそれは、アンがいっぱい詰まった大ぶりのものだ。私は手にとってしげしげと眺めた。ふだんの生活で、こんな昔ながらのお饅頭を見ることはめったにない。それで食べた。二個食べた。おいしかった。焼肉以来、私の食欲はもう止まらない。

ナマ脚にしなくっちゃ

トレーナーの先生は、

「三ヶ月で、ハヤシさんを冨永愛に変えてみせます！」

と言ったそうであるが、人間のカラダというのはそう簡単に変わるものではない。例のパリ旅行もあり、体重は未だかつてないほどの数値を示している。

しかし、週に三回、二時間トレーニングの成果は確かにあって、私のカラダはいたるところで変化を見せている。見よ、私の脚を。ふくらはぎのところに筋肉がつき、足首がきゅっと締まってきたのである。

今日、アンアン編集部にちょっと寄って、ホリキ編集長に見せたところ、

「すごい、すごい」

と絶賛された。

「カッコいい脚になったじゃないッ。ヨーロッパのマダム脚よ。これだったら絶対に日に灼いてナマ脚にしなくっちゃねッ」

そこへふらりとテツオがやってきて、私の脚をのぞき込んだ。

「すっごいじゃん。ちゃんと足首が出てきたじゃん」

嬉しいなぁ。このまま頑張れば私の憧れる美脚を手に入れることが出来るかもしれない。細く長い脚に、きゃしゃなピンヒールというのが、どれほど私は羨ましかったことであろうか。

屈辱的な記憶が甦る。二十年以上前、仲よしの女友だち五人で、アフリカのケニアに旅行したことがある。まだ若くピチピチしていた私は、よせばいいのに白のショートパンツをはいていた。

そう、私は脚は確かに太かったわ。見事な大根足といってもいい。が、この太さは日本においてはそう珍しくないものだったと思う。太いことは太いけど、

「太いな」

というぐらいで済む太さであったはずだ。けれどもぜい肉というものを全く持たないあちらの人々にとって、私の足（脚とは呼べないシロモノ）は、驚異以外の何ものでもなかったらしい。

ジープのドライバーが、来いよ、見ろよ、と仲間を連れてきて、私の脚を指さす。そしてヘタな英語で、

「ジュードーをやってるんだろう」

などと聞くではないか。見せ物にされたあの日のことを思い出すだけで、血が煮えたぎってきそう。が。私の脚は進化をとげているのである。このトシになって本当にエライ。

ところで雑誌で見たら、フォクシーのデザイナー、マエダさんは、素敵なおうちのパティオに、籐の椅子を置いている。この椅子は半分がゆりかごのようにおおわれているが、なんと脚を灼くためのものだと。イタリアマダムご用達で、ご主人からのプレゼントだそうである。

私が行きつけのエステでは、最近美脚コースを開発した。

「セルライトを出して、すっきりさせますからぜひ来てください」

ある人のコラムを読んでいたら、彼女もここに通っているそうだ。みんな脚には努力しているのである。

さてマエダさんも言っていた。

「どんなに綺麗な脚でも、ステキなキレイな靴を履いてなきゃダメよ。私はどんどん履きつぶすわ」

よく書いていることであるが、私はものすごい靴大尽である。お店に行くたんびに五足、六足と買う。が、おしゃれ人間に多い靴フェチではない。なぜなら靴をまるっきり大切にしないからである。雨の日も平気で履くし、磨くのも好きではない。ボロくなったらすぐに捨てる、というわけでなく、いじいじと同じ靴を履く。なぜなら幅広、甲高の私にとって、足に馴れてやわらかくなった靴というのは本当に大切なもの。よっていつも同じものを履くことになるのである。

うちの玄関には、一度も足を入れたことがない靴がずらり並んでいるのだが、いったいこれは何なんだ。

が、仕方ない。大足の私をやさしく包んでくれる靴は何足もないんだもの。買った時はちゃんと履けたのに、どれもきついんだもの。今、私のお気に入りは、ある人気ブランド店で買った茶色のパンプス。爪先に可愛いお花がついている。今のところはこればっか履いている状態だ。

ある日その靴を履いている時に、電車の中で思いきり足を踏まれた。花がつぶれ、歩いているうちにゆらゆらしてきたではないか。私はいったん剝ぎ取り、コンビニで買った瞬間強力接着剤で花を貼りつけた。

が、アバウトな私が大急ぎでしたことにろくなことはない。花を反対の位置につけてしまったのである。よって花がヘンな形に寄った靴がいまここにある。とても悲しい。

そう、そう、私はこの靴を買う時、八センチヒールのサンダルも購入している。いったいどういう風に歩くつもりだったのか。わが心ながら謎である。全く私の足元は私にもよくわからない。

恋人とデイトする時は

世の中のおしゃれな女を大別すると、タイツ派とナチュラルストッキング派に分かれると思う。

タイツ派というのは、いうまでもなくモード系、カジュアル系の女たち。ナチュラルストッキング派の女たちというのは、エレガント志向の方々ですね。

タイツ派の女というのは、このナチュラルストッキング派の女を、ほとんど憎んでいるといってもいい。どうしてあんなに悪く言うのかしら、と思うほどである。

「男に媚びてる」

とか、

「脚を肌色にしてイヤらしい」

なんて言っている。

私の知っている限り、女性編集者はみーんなタイツ派である。「ヴァンサンカン」とか「ミス家庭画報」とかいう、お嬢さま雑誌を別にすれば、百パーセントタイツといってもいい。ナチュラルストッキングなど、一足も持っていないだろう。

そしてタイツ派の女は、夏になるとナマ脚派になる。この早さといったらない。用があってマガジンハウスに行ったら、五月のはじめだというのに、ホリキ編集長をはじめみーんなナマ脚であった。

芸能人の記者会見を注目してほしい。スタイリストの人たちが用意した最新のお洋服であるが、ナチュラルストッキングをはいている女優さんやタレントさんなんか見たことないでしょ。みーんなナマ脚のはずだ。それも真冬もそうだからびっくりしてしまう。

「一月にミニでナマ脚で、あんな高いピンヒールのサンダル履いて、体に悪くないのかしら」

と知り合いのスタイリストの人に聞いたら、

「今は若いからいいけど、将来冷え性になるかもね。でも記者会見って一、二時間我慢すればいいんだから。すぐにパンツか何かに着替えてるわよ」

ということであった。

さていよいよ夏になって、いつものことだがタイツ派の私はすごく困る。ナマ脚になる自信も度胸もまるでないのだ。そうかといってタイツは暑苦しい。ナチュラルストッキングははきたくない。よって肌色のネットストッキングにしている。ネットの場合、透けるペディキュアに注意して、派手過ぎないが目立つ綺麗な色にしているの。

しかしネットストッキングは、すごく問題がある。まず売っているところが限られているのだ。青山の薬局やコンビニでも、置いてあるところはあまりなく、数が少ない。よって見つけるとすぐ買うようにしている。いっぺんに三足か四足買う。が、いくらあっても足りない。なぜならばネットストッキングにLサイズはないのですね。Mばっかり。よって股のところにすき間ができ、ここから穴が開いていくのだ。たいてい一回で大きな穴が開くが、五百円のものが一回使い捨てなんてあんまりだ。

「もうちょっと頑張るのよ。もう二回ぐらいご奉公してね」

となだめすかし、洗たくをしてもう一回はく。このあたりが限界ですね。穴は太ももの方まで拡がっているではないか。

もう私の人生でそんなことは起こらないと思うが、男の人と突然そんなことになった場合、太ももまでの大きな破れ穴を見られたらどうなるでしょうか。よって私は大きな穴が開くと捨てるようにしているんだけど、その無念さときたら……。ストッキング一回はくのに二百五十円かかるわけだ。そんな時、

「○○（CMになると困るので名を伏す）にしたら」

と勧めてくれた人がいた。○○は輸入ストッキングである。ここの女社長はまだ若い人で、私もパーティや食事会で顔を合わせたことがある。それまでふつうのOLをしていたのである

が、ある時知り合ったスペイン人だかフランス人だかの男性がこう言った。

「日本の女のコっていうのは、どうしてあんなに色気のないものをしてるの……」

白人でカッコいい人だったらしく、いくらでも日本の女のコが寄ってくる。そしてそーゆー、ことになってベッドに誘うと、百パーセントパンストだというのだ。ヨーロッパの女のコは、恋人とデイトする時は必ずガーターベルトのストッキングをしている。その方がずっと色っぽいからだ。この○○は、昔のように別のガーターベルトをつけるのではなく、ウエスト部とガーターベルト、ストッキングが全部一体化している。よってストッキング部が下がらないし、男の人に見られても色っぽい、そそる。

彼女はさっそく○○を輸入し、総代理店になった。今じゃ年間数十億円の売り上げなんだって。

昨日デパートへ行って、さっそく買ってきた。二千円なり。形がSMっぽくて面白いが、はくのにちょっと要領がいるかも。

ところで体重はちっとも減らないが、トレーニングの成果は脚に出てきて、きゅっと足首は締まり、筋っぽくなってきた。もうちょっとでナマ脚いいかも。それまで○○のガーターストッキングでのりきろう。太ももと股の部分がない分、擦り切れることもないしね。

バーキンな人生

私がどうして、いつも新しいバーキンを手に入れられるか。

それはパリに住んでいる友人、ミチコさんの力によるものだ。

ミチコさんはものすごく親切で、人のめんどうを見るのが大好き。友だちのバーキンのために命を賭けているようなところがある。暇さえあればエルメスの本店へ行き、店員さんたちの機嫌をうかがってくれる。もし予約を受けてくれそうな時は、

「エイヤッ」

とばかり、予約注文してくれるのだ。しょっちゅう国際電話がかかってきて、

「マリコさん、紺色のバーキンどう、いらない？」

「予約を受けてくれそうな日だったから、マリコさんの分、頼んどいてあげたわ。黒に赤いステッチが入ってるのよ」

こっちの承諾を取る間もなく、ばんばん予約を入れといてくれるのだ。しかもこの親切は、私以外にも何人かにしてるのだからびっくりしてしまう。

春にパリに行った時、ミチコさんは、さ、すぐにエルメスに行きましょ、と私をうながした。

「つい先週、変わったバーキンが入荷したからとっといてもらったわよ」

色は黒だという。黒のバーキンは、もう何個も持ってるけどなあ、と思った私であるが、行ってみて驚いた。なんと二十五センチのバーキンではないか。

「こんなミニバーキン見たことない」

「そうでしょ、そうでしょ」

ミチコさんはニコニコしている。

「これは日本にはまだ入ってないはずよ。パリでだって珍しいもの」

このあいだは、エルメスでまた予約を受けつけてくれたため（時折、不意にそんな日が来るそうだ）、ミチコさんはオーダーを何個かしたそうだ。

「ブルーの二十五センチのバーキン、マリコさんの分も頼んどいてあげたわよ」

そんなわけでまた買うことになる。昨年はペイントしたヴィンテージのケリーを含め、四個のエルメスバッグを買った私。一個は他の人に譲ったものの、三個も買うなんて確かにおかしい、ヘンです。バーキンやケリーは、今を逃すと永遠に手に入らないような気がするからだ。

実際、本当に店頭から消えている。エルメスバッグというのは、もはや投機の対象にさえなっているからすごい。ミチコさんはつくづく言う。

「ちょっと異常よね。昔だったらケースに並んでたのに、今じゃめったに予約も受けてくれないもの。だいたいね、バッグで金儲けしようとする人が多すぎるの。日本人の業者がうろちょろして、あわよくば手に入れて、二倍にも三倍にもして売りつけようってしてるんだもんね」

うちの夫は、もちろん私のこのエルメス収集癖のことを知らないが、担当の美容師さん（女性）にこう言われたそうだ。

「ハヤシさんのバッグの棚から、一個ぐらい持ってきてくださいよ」

律儀な夫は呑気にこう言う。

「君、一個ぐらいあげたら」

やーだよー。アンアンの「読者プレゼント」に二回も差し出した私だ。これ以上、人にあげる気は全くない。

そしてケチなくせに、私はバーキンをすごく乱暴に扱っている。使うとなると、中身を入れ替えるのがめんどうなので、同じものを十日も二十日も使う。黒のバーキンを使っている最中は洋服も黒ばっか着る。茶系のものを着ると、バッグを取り替えなきゃいけないんだもの。

そして時はあたかも夏。よく真夏に大きなバーキン持ち歩いている人がいるが、ああいうのは暑苦しい。そんなわけで私は、ヴィトンやプラダといったところの軽い素材のものばかり使っている。こっちも乱暴に毎日使うから、すぐにボロくなる。

なんちゅうか、私はバッグのことを考えると少し心が重くなるの。バッグは使うものであるが、同時にコレクションにもなる。特にエルメスのバッグがそうだ。女たちは宝石を買うように一個一個集めている。しかし飾ったままじゃつまらない。だから使う。すると汚れてくる。くたくたになるのがカッコいいといっても、やはり限界がある。私のバッグ棚には、二十年前のエルメスがあるがやっぱり古めかしい。だけど捨てられない。なんかエルメスというのは、「使う」「集める」というこのバランスがすごく悪いような気がする。やはり高価すぎるからでありましょう。

新聞を読んでいた夫が言う。

「七十万もするバッグがばんばん売れてるんだってな。世の中にはそんなバカな女がいるんだなぁ」

あんたの妻もそのバカな女のひとりよ、と言おうとしてやめた。おそらく男の人にはこの気持ちをわかってもらえないだろう。

このあいだも若い友だちに頼まれた。

「そろそろファースト・バーキンが欲しいのに、どんなことをしても手に入らないの。ハヤシさん何とかして」

「まかしとき」

と胸を叩く私。私の人生って、かなりバーキンにふりまわされてるかも。

人生の歩き方

先日初めてのエステサロンに行ったら、アシスタントの女性が、先輩の目を盗んでこう言った。

「ハヤシさんでしょう？　私、いつかハヤシさんに会うことがあったら、絶対に言おうと思ってたことがあるんです」

「はい、はい……」

「何年か前、ハヤシさん、エッセイに書いてたでしょう。男と別れられないのは、タバコをやめられないのと同じだって」

そんなこともあったかしら。しかし、突然そう言われてもね。

「私、あの頃、他の女と同棲してる男の人とずるずるつき合ってて、すごくイヤな日々をおくってたんです。別れよう別れようと思ってもきっかけがつかめなくって。でもハヤシさんのあのエッセイのおかげで、フンギリがついたんです。それで今、すっごくハッピーなんです。ですから私、ハヤシさんに会うことがあったら、お礼を言おうと思って」

へぇー、私の書くものがこんなに役に立っていようとは。人の人生にかかわり合っていたなんて驚きである。もちろん嬉しいがとまどいも起こる。これからは無責任なことを書けないわ。え、もう書いてるって？

実は私、最近女の幸せについて、深く考えることがあった。

知り合いのA子さんという女性がいる。二十代後半。このあいだ離婚したばかりで、さぞかし傷心の日々をおくっているだろうと心配していたら、もう別の人と暮らしているというではないか。これにはびっくりだ。

彼女と親しいB子さんがしみじみと言った。

「あの人には特別の才能が備わっているんです。それは絶対にモトをとろうとする才能です」

たとえば合コンに行ったとする。男性が五人いた。五人ともブーだったら、たいていの女はさっさと帰る。

「だけど彼女は、せっかく合コンに来たんだから、絶対にモトをとってやる、この中でいちばんマシなのと、次のデイトの約束ぐらいはしておく、っていう人なんじゃないでしょうか」

さすがに同じ年頃とあって、彼女のことをよく観察していると思った。私はどういうタイプかというと、明日に希望を託す、という感じであろうか。今回はひどいのばっかり集まったが、次はきっと向上するであろうと、せっせと合コンに出没するような気がする。

好みがいなければさっさと帰るB子さん。

とりあえずひどい中でも「いちばん」を見つけるA子さん。どっちが幸せになるかわからないけれども、ま、他から見てレベルが低いと思われても、ちゃんと美点を見つけられるのは確かに才能であろう。少なくとも、このタイプだと男の人が途絶えることはない。

さて、話は突然変わるけれども、私は今、ある考えにとらわれている。それは、

「カッコよく歩きたい」

ということである。

デューク更家さんの登場もあって、今ほど歩くことが注目されている時代はあるまい。それはみんな、歩き方がヘタになっているからだ。高いヒールのものやミュールを、素足ではく。そのおかげで、みんな膝を曲げたままペタンペタン歩く。

さっきも青山通りを歩いていたのであるが、おしゃれなあのあたりでも、膝を落とし、ぺったんぺったん必死で歩く女のコが何人もいる。流行の高いヒールのサンダルが、あれじゃまるで足かせの拷問靴。かくいう私も、ものすごい歩きベタで、皆からよく笑われた。上下運動ばっかりで、少しも前に進まない歩き方だ。よちよち必死で歩く。ウォーキングスクールへ行こうと本気で考えたのだが、時間がないので、雑誌や本で読んだとおり、膝を動かす。まっすぐ伸ばしたまま着地し、そしてまっすぐなままカカトから蹴る。しかし、これってとても不自然

な歩き方だ。バッキンガム宮殿前の、衛兵の行進みたいになる。だいいち前にあんまり進まないのである。

個人トレーニングの先生が言った。

「ハヤシさん、まず膝を曲げて、心持ち上にあげてください。それから膝下を回転させるようにして着地するんです」

「でも、モノの本によると、膝は絶対に曲げちゃいけないって。伸ばしたまま着地しなさいって」

「ハヤシさんがモデルさんかなんかだったら、そういう歩き方も出来るかもしれません。だけど膝を曲げて上に持ち上げないと、前に進みませんよ。膝を伸ばすのは着地した直後でいいんです。膝を曲げて、上にあげる。そして思いきり遠くへ着地する。脚をぴっと伸ばす。そして伸ばしたまま蹴る。これを実行してください」

そんなわけで、膝を曲げてます。街のすべてのショーウインドウに、私の歩き具合を映してみる。膝を曲げても、着地の後まっすぐにすればカッコよく見える。それに前にどんどん進むのだ。

どう、勉強になった？　変わろうと思った？　あ、そう。そうよね、歩き方なんて人にちょっと教わったからって変わるもんじゃなし。男の選び方だって同じよね。

美女の教え

相変わらずトレーニングをちゃんと続けている。週に三回、みっちり二時間というメニューは、お金、スケジュール的にもかなりつらい。ところが頭にくることがあった。ある人から、

「へぇー、あのトレーニング料金って、ハヤシさんが払ってんの。アンアン編集部が出してると思ってた」

と言われたのである。

私が自分のダイエットのためのお金を、出版社に出させてるようなミミっちい女に見えたのかしら。

最初から本にするつもりで企画を立てたならともかく、このトレーニングは私が好きでやっていること。そりゃあネタになるから嬉しいけど、それだけのことでかなりの額を出版社が出してくれるわけがないじゃないの。ああ、口惜しい、プンプン。

口惜しいといえばこんなことがあった。

仲よしの文化人類学者A氏と、お能を観に行った。

お能はインテリの人たちが好む演劇であるが、私はインテリでないのでよくわからない。なのにどうして観に行ったのかというと、ハンサムなA先生が誘ってくれたからだ。私は頭のいい男の人にレクチャーしてもらうのがとても好きなの。もちろんウンチクおやじにあれこれ言われるのは嫌いだけど、ハンサムなインテリに、やさしく教えてもらうのは、そりゃーもうたまらない。女の醍醐味というやつでしょう。

帰り道、二人でおそば屋で板わさをサカナにちびちびお酒を飲んでいる時、A氏が言った。

「今日のお能って、まさにマリコ・ワールドでしょう」

ものすごい美女がいて、その女に恋焦がれた男が、思いがかなわず身を投げて死んでしまう。その傲慢な女も、男の恋心にほだされて、最後はよよと泣くのである。

「ものすごく傲慢な女が出てくるでしょう。美人だけどやな女が最後は反省して泣く。ハヤシさんって美人、大嫌いだもんね」

私をそんなに単純な女と思ってたのと、私はよよと泣きたくなりました。そんなことはない。私は美人が好きです。

美しい人といるとこっちが楽しくなってくる。どのお店に行っても、従業員が親切にしてくれるので、私もおコボレにあずかることが出来る。

それに美人というのは、まわり三メートル平方ぐらいを「美のオーラ」で包んでくれるので、この中に入っている限り、私もひとつのカタマリのように見てくれる期待もある。

昔、ある男の人が言った。

「君はキレイな女の人と、常にいなきゃいけないよ。キレイな人といるとね、その人のパワーで、キレイな女の人が二人いるような錯覚が起こる。だけどブスといるとね、ブスの女が二人いると皆が思う。君のようなレベルの女は、とにかく美人といて、錯覚で生きていくしかないんだ」

そのため私はどのくらい、美人を大切にしてきたことであろう。エッセイに書くほどの、意地悪なんかしたことがない。

私が昔から好きなのは、みんなが振り返るほど綺麗な人とランチしたり、カフェでお茶したりして、あのもやもやとした空気を楽しむことだ。よく晴れた表参道の昼下がり、とびきりの美人とお茶して、

「マリコさん、夏のファンデーションはこれがいいわよ。ほら、次から使ってみてね」

なんて教えてもらうことであろうか。

そう、私はインテリにレクチャーしてもらうのも大好きであるが、美人にレクチャーしてもらうのも好き。

そして私は知った。美女というのは惜しみなく、自分の知恵を人に与えてくれるものなのだ。

美女は心が広くやさしい。ホント。

美のカリスマ、君島十和子さんと初めてランチしたのはこの春のことであった。私の知り合いが友人で、三人で会ったのだ。実物は写真よりもさらに美しく、もう息を呑むほど。透きとおるような真白い肌、そして信じられないほど長い睫毛《まつげ》。そして何よりも知的でエレガントな女性であった。

そして十和子さんは、私にファンデーションの新製品をくださった。

「これ、絶対に使ってみてくださいね」

知り合いの女性を集めて、メイクを教えてあげることもあるそうだ。ネイルが素敵、ランチのフレンチの食べ方も素敵。私はこの集まりを「十和子塾」と名づけた。塾長はもちろん十和子さん。私と友人は向上心豊かな塾生なの。

これと反対に、勘違いしてる女が、えらそうにあれこれ言うのって許せないですよね。

このあいだある女性が、雑誌でエラそうに、

「女はいくつになっても恋をしなきゃ」

なんて言っていて、

「オバさんが力とお金にもの言わせて、男の人とナンカしてるのに、モテると勘違いしないで」

と思わずツッコミを入れた私。

ところで今日、六本木ヒルズクラブへ行ったら私の顔入りのパンフが。「30歳から年齢を重ねるごとに輝きを増す生き方」だと。某化粧品会社から頼まれた講演がこんなタイトルになっていたのだ。

ああ恥ずかしい。いちばん勘違いしてるのはアンタだよッ。

野心とエレガンス

最近私の愛読誌となりつつある「ヴァンサンカン」を読んでいたら、

「これが25ａｎｓ的ファーストクラスの女性たち」

というのが出ていた。

七人の女性たちが誌面に登場してくるのだが、その綺麗なことといったらない。夜のお出かけというので、全員イヴニングドレスに身を包んでいたが、まるでスーパーモデル。いえ、皮肉でも何でもなく、ホントに皆さま美しくてカッコいいの。

ちなみに、この「ヴァンサンカン」誌上において、叶姉妹を発見したのはこの私である。

「このあやしげな女たちは何者？」

とエッセイに書いたのが火がつくきっかけになった。もちろん私が書かなくても、彼女たちはいずれ世の中に出てきたであろうが、

ファーストクラスの女は
パーティーが多いの

「ハヤシさんが、登場を半年早くしてあげたね」

と多くの人が言う。

しかしこのセレブリティたちは、きちんとしたバックグラウンドを持ち、三ヶ国語ぐらいを話す。みんないいとこのお嬢さまなのであるが、野心を持って会社を興したり、女医さんになった人たちなのだ。「才色兼備」を絵に描いたような女性ばかり。中には結婚して子どものいる人もいる。

私の世代の女社長とはちょっと違うぞ。私も何人か会社を経営する女性を知っているけれども、みんな独身かバツイチだし、どんなにおしゃれしていても、男っぽさが見え隠れする。

ある時、仲のいい女社長のことを評して、

「オバさんの皮をかぶったオジさん」

と言ったところ、〝そのとおり!〟と彼女の部下たちに大受けしたことがある。

だけどすごいわ。こんな女優さんみたいな人が女社長になるような世の中になったのね。まあ、会社の規模は小さいけれども、ちゃんと世の中のニーズを見据えている。それに経歴だけ見ると、お金持ちのお嬢さまから、お金持ちの奥さまというコースをたどっても不思議じゃない人たちばかりだ。それなのに、「志《こころざし》」を持った。働きたい、自分の会社を持ちたいと思った。それだけで世の中、すっごく変わったと思う。

ひと頃、「香港マダム」というのが騒がれた。美と知性、富を持っている女性たちだ。彼女たちは大金持ちの夫人、という立場に安住しない。必ずビジネスを始めるのである。そしてもっとお金持ちになって、ブランド品を買い求め、それがよく似合うのだ。

さておとといのこと、最近〝妹分〟となったA子ちゃんとお芝居を観に行った。A子ちゃんは某大金持ちのお嬢さんで、パパは誰でも知ってる企業のオーナー社長である。当然のことながら下からケーオーで、ま、生まれてこのかたお金には不自由したことがない。

けれども昨年に、イベントを請け負う小さな会社をつくったんだそうだ。まだあんまり儲かってないそうで、仕事と並行してお見合いをバンバンやっている。

「親がうるさいから」

と言いつつ、結構楽しそうだ。

「人生、どんな出会いがあるかわかりませんからねッ。こっちの方にも賭けてみますよ」

こういうポジティブな考え方だと、何をやってもうまくいくような気がする。

だけどね、と私は言った。

「お見合いで結婚しようとする男は、奥さんが働くのをあまり好まないよ。うちが典型的なそのテの男だもん。理解できないわけでもないけど、奥さんがあんまり外に行ったり、バリバリ稼ぐのは好きじゃないみたい」

私はA子ちゃんに指南した。

「野心を持つ女にぴったりなのは、年下の男か、うーんと年上で経済力のある男よ。同じぐらいだと、なまじ家の中で競争心を持つんじゃないかしら」

ところで昨日のことだけど、ある喫茶店で時間をつぶそうと本を読んでいた。そこに中年の女の人と、若くて流行のかっこをした男が入ってきた。狭い店のうえに、二人が座ったところが私の隣りだ。イヤでもよく話が聞こえる。

そしてすぐ、中年の女性の方は、彼の会社のボスだとわかった。

「あなたの働きぶりを見ていると、最近心ここにあらずっていう感じよね」

と説教を始めるではないか。が、決してガミガミという風ではない。あくまでもクールで穏やかな話しぶりである。言うこともいろいろ筋がとおっている。

が、私は思った。

「こんな風に理詰めでこられちゃ、男はたまらんなァ……」

そして彼女の知的で低い明瞭な声。これはまさしく女社長の声である。何人もの人間を従える人は、誰でもこういう風な声になるのだ。

あのヴァンサンカン女社長たちにしても、いつかは年をとる。いや、その前にこんな声になり、ガンガンと部下を叱るだろう。野心とエレガンスなどというものは、そう簡単には両立しないものなんだよなあ、残念ながら。

そう、そう、私も女社長だって知ってた？　有限会社「林真理子企画事務所」の女社長です。社員はハタケヤマひとりなんだけどさあ。

ケイタイの悲劇

つい四日前のこと、友人たちとご飯を食べていた時だ。

「ケイタイって、本当に水に弱いんだよね」

とひとりが言った。

「ネイルサロンへ行ってさあ、ペディキュア用のお湯の中にじゃぽん。それでケイタイがパーになったコがいるんだよ」

「あのさ、ケイタイってドライヤーの熱いのを吹きかけても消えちゃうみたいね」

ふーん、そうなのと、この時は全く他人ごととして聞いていた私。お水の中にぽっちゃんと落とすほど、私、そこまでドジじゃないもん。

しかし悲劇は二日後に起こった。お水の中には落とさなかったが、上から水を落としたのである。

それは一昨日のことである、山梨へ行くために「かいじ号」に乗っていた私。ぐびぐびウーロン茶を飲み続けた結果、トイレが近くなってきた。わずか一時間半が耐えきれず、トイレに行った。この「かいじ号」のトイレは広くてキレイで、外に洗面所もちゃんとついてる。用を済ませ、中の水道で手を洗った後、外に出て洗面所の前に立った。無造作にバッグをほうり投げ、髪を直した。が、私は知らなかった。最近の列車の水道蛇口は、ほとんど自動式になっている。手を差し出すと反応して、自然に水が出てくるんですね。

私のバッグはベージュの革の、ぐにゃりとした口が広いタイプ。これを広げたまま蛇口の下に置いたため、上から水がどーっと出てきたようなのだ。が、私は何も気づかず、水槽と化したバッグを持ち席に戻った。ティッシュを取り出そうとしてびっくり。中に金魚が泳げるぐらいの水がたまっているじゃないの。

私は大あわてで中のものを取り出した。昨年プレゼントされたばかりの、エルメスのクロコのお財布もぐっしょり。手帳もぐっしょり。名刺入れもぐっしょり……。そして私は最も重要なことに気づいて、水槽の底をかきまわした。ケイタイが水の中。ボタンを押す。何にも出てこない。

こうして私のケイタイは、あわれ水死を遂げたのだ。二百人以上のメールアドレスと電話番号はすべて消えてしまった。

家に帰って、この話をしたら夫に大層怒られた。

「バカ、なんてことするんだ、ドジ、オッチョコチョイ！」

確かにそのとおりかもしれないけど、何もそんな言い方しなくてもいいじゃない。

「○○○子さんとの食事は、いったいどうなるんだよッ」

夫は女優の○○○子さんの大ファンなのだ。週刊誌と月刊誌で対談の連載を持っている私は、有名人と会うことが多い。誰と会うと言っても「ふうん」と無反応だった夫なのに、○○○子さんと聞いて目の色が変わった。彼女は着物が似合う、しっとりとした美人である。

「あの人いいよなあ。オレ、大ファンなんだ。お願いだからサインもらってきてくれよ」

夫がこんなことを言ったのは初めてで、この話を○○○子さんにしたところ、

「まあ、嬉しいわ。今度はご主人さまとご一緒に、ぜひお食事を」

とおっしゃった。もちろんお世辞にきまっているが、この男はすっかり舞い上がってしまったのである。

対談の際、○○○子さんはケイタイの番号とメールアドレスを教えてくれ、何度かメール交換したのであるが、もう連絡出来ないわよね。あちらの方からメールがくるという確率はかなり低い。

「バカ、せっかく人が待ってたのに、せっかくのお食事会がおじゃんじゃないか」

いつまでもぶつぶつ言ってる夫であるが、それどころじゃない。今、ちょっといいなあと思って、時々デイトし、しょっちゅうメールしている男性の情報が断たれてしまったのだ……。

まあ、このへんは定期的にメールがくるから、なんとか仲が復活出来ると思う。

つらいのは、昔のカレですね。ケイタイの番号は前から知っていたが、いきなりかける、というのは気が進まない。今の時代だったら、メールを突然送りつけた方が、迷惑がられないうえにインパクトも大きいはずだ。私はツテのツテを頼り、彼のアドレスを調べ上げた。それどころか、彼はパソコンのメールばかりで、ケイタイのメールはほとんど開かないということまで知った。そして先日メールを入れたの。

「突然で驚かないでね」

あとは省略。そして二日後（やっぱり遅いわね）彼から返信があった。

「お久しぶりですね。ご活躍いつも拝見してます」

他人行儀の言葉が続き、中略。そして最後はおきまりの、

「近くにいらしたらご連絡ください」

だって。しましたともさ。ぜひ会いたいわ、お食事でもとメールしたのに、それっきり……。

私は彼に謝りたいことがいろいろあったのに、それさえ言わせてもらえないのね。その彼のケイタイ番号とアドレスも消えた。そしてヒトヅマの私。これでよかったのかも……なんて、私が思うわけないでしょ。また絶対に調べ上げてみせるもん。

ぜい肉が邪魔をする

ケイタイを水びたしにし、すべてパーになってから、何かと不便な日が続いている。ま、親しい人は向こうから連絡が来るからいいとして、困ってしまうのは、たまに電話やメールが来る人たちですね。日曜の夜なんか、近況を語り合いたいのだがそれも出来なくなった。なんかすごーく、人間関係が狭くなったような感じ。

その代わり親しい人とはしょっちゅう会ってる。作曲家のサエグサさんとは、オペラやシンポジウム、会議などで二日おきに顔を合わせた。

長年のダイエット仲間であるサエグサさんは言う。

「もうじきボクたちの再デビューの日だね」

そう、七月の末に二人で断食道場へ行くことになっているのだ。八月になったら、生まれ変わった私たちは、希望に燃えていろんなことをするつもり。

「断食道場には、きちきちの服を持っていった方がいいよ。ボクはさ、すっごくきつくなったジーンズを持っていくつもりなんだ。八日めにそれがすうっと入る嬉しさといったら……」

ジーンズねぇ。これについてはとても悲しい思いをしている。昨年まで、Tシャツとジーンズというスタイル、私の夏の定番だったのに、太った今年は、手持ちのジーンズ、チノパンツ、すべてボタンがかからなくなった。無理にかけると、お肉が上にぷくっととび出す。仕方ないので、半分だけかけていると、おヘソとそのあたりの肉がはみ出して、みっともないったらありゃしない。

私の外見に全く無関心の夫でさえ、

「その格好、ひどいんじゃないか」

と言う始末である。

休日など、半分お腹が見えるジーンズでくつろいでいる。するとピンポーンという音。お中元のシーズンなので、やたら宅配便のおにいさんが来る。

「はーい、ちょっと待ってください」

と、息を吸い、なんとかいちばん上のボタンをかけ、Tシャツの裾をひっぱって出ていく。が、後で見ると、Tシャツの下から、隠したつもりのはみ出しお肉がぽこっと出ていて、とても恥ずかしかった。

こんなの自慢にもならないけれど、このあいだバーゲンで、ジル・サンダーのニットを買った。薄手のサマーシルクで、信じられないほど美しい水色だ。スレンダーで長い形。これに真珠色のスカートを組み合わせたまではいいんだけど、街のショーウインドウに映る自分を見て、ホントにイヤになったワ。まるで人体構造図のように、私のぜい肉の形が、はっきりわかる。それが歩くたびに波うってるみっともなさといったら……。

こんなに頑張っているのに（ま、食べちゃうけど）どうして痩せないんだ。週に三回、二時間もジムに行ってるから、仕事なんかたまりにたまってる。映画を観たり友人と会う時間も削られてる。それなのに、お腹のまわりにしっかりついたこのお肉は、いったいどうしたらいいの？

しかしサエグサさんは私を励ます。

「大丈夫。八日断食すれば、ハヤシさんの場合はきっと十キロ減るよ。ジーンズなんかゆるゆるになるよ」

そうよね、ジーンズがはけないというのは、心理的につらい。それに今年の秋冬、ジーンズがなくてははじまらないとファッション誌の編集者は言う。

「大人のコーディネイトだったら、ローファーじゃなくって、ピンヒールのうんと綺麗な靴と合わせてくださいね」

そんなある日、友人と約束の時間までぽっかり四十分空いた。目の前に「ドン・キホーテ」があるじゃないの。ここの「ドン・キホーテ」は、場所柄かなりいいものが置いてある。インポートの階にはバーキンやケリーもあるし、数は多くないがブランドもののTシャツやジーンズも並べられている。私はウォッシュしてあるジーンズに目を留めた。インチが幾つかなんてとうに忘れたけど、この大きさならどうにかなりそう。しかし万引き防止であろう、ものすごく厳重にチェーンが留めてある。私はレジの店員さん（女性）のところへ行った。

「すいません、ジーンズ、試着出来ますか？」

「出来ますよ、ちょっと待ってください」

いつも来るたびに思うけど、慢性的人手不足の「ドン・キホーテ」。その店員さんはマイクで、「誰かレジ替わってください」と叫んだ。忙しいところホントに申しわけないわ。

が、申しわけないのはそれだけではなかった。店員さんは言う。

「うちは試着室がないので、店員の更衣室でお願いします」

え、そんな話ってある？　私たちは階段をのぼり、裏口を開け、荷物がゴタゴタ置いてある部屋に入っていった。その奥にロッカールーム。そしてその横に一人だけ入れるカーテン。

「ここでどうぞ」と、店員さんは外で待つ。こんなに緊張した試着はなかったわ……。だけど、どんなに頑張っても、ジーンズは太ももより上にいかない。

「すいません、入らないので……」

とうなだれて返した。そう、デブはいつもこんなつらいめにあってんのよ。ああ、一日も早く断食道場に行きたい。

美意識が揺らぐ時

「ハヤシさん、パンツ（下着の）見えてますよ」

帰ってくるなり、ハタケヤマ嬢が言った。

「スカートの裏地が、上にめくれ上がってパンツがばっちり」

きつめの白いタイトスカートをはいていたのだが、トイレに行ってうっかりすると、すぐに裏地をまるめてそのままにしてしまう。注意していたつもりだったのだが、トイレへ行った折に、きちんと裏地を元に戻すのを確かめなかったらしい……。

このところの暑さのせいであろうか、はたまた私の頭脳が大きなダメージを受けているのか、まともな格好をしたことがない。朝出る時、今日はなんかやりそうだなあ、と思うとやっぱり何かやる。

このあいだは薄い一枚仕立てのジャケットを裏返しに着ていた。トイレに行くまで全く気づ

かなかった。

次の日はボタンをひとつかけ違えていたが、このくらいのミスは、私のあまりにも日常的なことなのでどうということもない。

そして二日後、街を歩いていた私は、みんなが私の胸元に注目していることに気づいた。そんなに見ていただくような胸ではないけれど……と思った私はハッとした。ブラウスの真中のボタンが見事にはずれていて、ブラと谷間が丸見えになっているではないか。

ついこのあいだのことだ。今日こそピシッとしていると思ったのだが、人に言われた。

「髪にちっちゃい紙がいっぱいついてるよ」

前の晩、乾かしてはがすタイプのパックをしたのであるが、ちゃんとこめかみのあたりをとっていなかった。まるでフケみたいな白いもんがいっぱいついてる。

あー、恥ずかしい。あー、みっともないと思う。が、その恥ずかしさが、いまひとつ身にしみていないといおうか、他人ごとのような感じなのである。それは電車の中で化粧をしている、女のコの心理と似ているかもしれない。

好きな人にみっともないものを見られるのはイヤだけど、こーんな見も知らずの人たちに何を見られたっていいのよ。

この頃、地下鉄の階段を上がる時、いつもドキドキしてしまう。白やベージュのパンツ、もしくはスカートをはいてる女の人たちの下着の線がよおく見えるのだ。もう目のやり場に困るぐらい、ヒップコンシャスでもなく、ただパンツが見える。

下着の線が見えるかどうか、私たちは鏡の前でチェックする。後ろ姿をよーく見て体をいろいろな方向に動かしてみる。「OK」。けれども階段を上がる行為の最中の、ヒップのあたりは見逃している。階段を上がる時、お尻の布はピーンとはられて、思わぬラインをつくり出す。しかしこれは仕方ないことだと、世の中はなんとなく了解し合っているような気がする。もお、階段を上がる時のパンツの線は仕方ないよ……。

なんかこっち方面のルールや、美意識がものすごくゆるくなっている今日この頃だ。色つきのブラだったら、肩ヒモを見せてもいいことになったし、パンツをはいている際、下着のパンツの上の方がちらっと見えてもOKなようだ。

子どもの頃から、私はしょっちゅう親やいろんな人に、

「みっともない」「だらしない」

と言われ続けてきたけれども、もうこの二つのガイドラインがすっかり崩れてるんですよね。とはいうものの、やはりみっともない、というものは存在している。それは肥満が関係してくるすべてのことがらだ。

階段を上がる時、パンツ（下着）のラインが見えても、そうみっともなくはない。が、デブのために股のところに、斜めのラインがいっぱい出来ているのはみっともない。Tシャツの脇腹のあたりに、肉がぽこっととび出しているのはみっともない、等々。前述のブラウスの真中

のボタンがはじけていたのも、私の胸がむっちり太っていたからだめ。

こんな私にとって、ノースリーブになるのはものすごくイヤ。特に好きな男の人と二人きりで、カウンターのお店へ行く時は絶対に避ける。腕と腕をくっつけ合って座るような席に、ノースリーブでは絶対に行かない。

このところややサボり気味だというものの、週に三回ジムに行っている。二十キロのダンベルを挙げ、小さなダンベルも使って、腕の裏側のぜい肉をとっていく。私の腕は確かに筋肉がついた。固いすごい筋肉である。友だち（女性）に触れさせるや、

「すっごーい、ウソみたい。ちゃんと固いじゃん」

とびっくりされる。が、悲しいかな、私の筋肉と脂肪は、どういうわけか同居したがるのだ。筋肉もあって脂肪もある私の腕はかなり太い。ちょっとォ、筋肉だけにしてくれないもんかしら。

が、このあいだはちょっと気になっている男の人とノースリーブでカウンター割烹の店へ行った。どんな女もすると思うが、私もデイトの後は「今日の反省会」をする。

恥ずかしいと思った。私の二の腕はまだ充分に太くだぶついている。そればかりでない。ブラの肩ヒモがかなり見えてたわ。私は久しぶりに落ち込んだ。

美女は踊る

ヒ・ミ・ツのデイト

生ビールのおいしい季節である。

生ビールもおいしいが、ガラスの器の冷酒もおいしい。冷たい白ワインをぐいぐい飲むのもいい感じ。

ぐい、ぐい、ぐい……。

都内のある場所に、私がデイトによく使うお店がある。ここへは、これぞと思う男の人とふたりで来るの。何度も言っているとおり、私はダイエットのため、つまらない男、友人とは決して飲みません。せいぜいが乾杯のビールぐらい。けれどもイイナ、と思う男の人とはがんがん飲みます。別に高岡早紀サンになりたいわけじゃないワ。だけどアルコールの力で非日常の世界に入る、あのふわふわした気分を男の人と共有したい。そのお店は、青山や六本木ではなく、ちょっと不便な場所にある。そこがとてもいい。

ちなみにデイトに必要なのは、この不便さということではなかろうか。ある時、某有名人の男性（特に名を秘す）と話していた時、こんなことを言った。

「ハヤシさんが紹介してくれた、下町のあのレストラン、すごくいいよね。細い路地をくねくね曲がるもんね」

ものすごくわかりづらいところにあるその店は、出かける時からもう冒険気分。カウンターに座った時は、遠いところへ来たナーとため息が出るぐらい。しかしお酒もたっぷりまわり、店を出る頃には、あたりの家はたいていい真暗だ。そしてふたりで迷路のようなところを帰らなくてはならない。キスをするにはぴったりの場所が、そこいらに待っている。

「反対に広尾の○○は、その点最低だね」
○○というのは、こぢんまりとしたとってもおいしい店なのだけれども、店を一歩出るとそこはタクシーの抜け道。しかも道の広さが実に中途半端なのだ。人の心理として、舗道のある広い道だとちょっと歩いて帰ろうと思う。けれども狭い暗い道に、次々と空車のタクシーが走ってくると、つい手を挙げてしまうのだ。事実、デイトの後、
「もう一軒バーへ行って、軽く飲みたいな」

と思っても、この店だとそこで終わりになることが多い。

「あの店だとさ、たいていの女の人が、そこでグッドバイということになっちゃうんだよな」

彼もぼやいてた。

そう、そう、私のデイトコースのその店なのであるが、太っ腹の私は、ある日みなに開放した。数人で食事をする時に、その店を教えたのだ。が、これはあきらかに失敗であった。ホントにバカだったわ。少し遅れて店に着いた私は、友人から言われた。

「ハヤシさんって、ものすごく飲むんだってね。店の人が教えてくれたよ。びっくりだよ。だってハヤシさんが飲んでるのって見たことないもの。いつもウーロン茶だけだしさ」

「下心がある男の人とは飲むのよ」

「よく男と来るんだって。誰とだよ」

「ヒ・ミ・ツ」

私たちって案外世間が狭いから、うっかりしたことは言えませんワ。

さてついこのあいだも、ある男の人と別のおいしいカウンター割烹のお店で会うことになった。ヒトヅマのくせにデイトばかりしてと人は思うだろうが、ま、一ヶ月に二、三度のことだ。同じ人とじゃないし、十時までには帰るもん。

暑い日だったので生ビールをすごい量飲み、冷酒も二人で六合飲んだ。しかし私は思った。この男になんかナメられてるな。昔は結構ちやほやしてくれたのに、最近はなんか態度がエラそうだな。次第に不愉快になってきて、もっとお酒を飲んだ。ま、帰りはタクシーで送ってくれたのだが、なんか釈然としない。

そして夜、私は頭痛と吐き気で眠れなくなった。うー、苦しい。飲み過ぎたみたい。やっぱり楽しい気分で飲まないと、お酒は悪酔いするんだワ。

吐けばラクになるかしら。トイレへ行った。しかし私は、めったにゲロしたことがないので、吐くのがすごい恐怖なのである。喉の奥に指を入れ、すぐにやめた。胸がドキドキする。自分で吐き気をもよおさせるなんて出来ないわ。

そして再びベッドにもぐり込む。く、くるしい。どうしてあんなつまらん気取った男のために、こんなに苦しまなきゃならないのッ。こっちも本気で好きならともかく、ちょっとさ、楽しい気分になりたかっただけじゃん。もうさ、こんなにいいトシして、男の人とふたりきりで会うのなんかやめよう。そおよー、お酒なんてやめるわー。この私がさ、どうしてあんなレベルの男にエラそうにされなきゃいけないのよッ。あー、口惜しい。あー、人生なんて空しいものね。

この時ガバッと私は起きて、トイレへ走った。もうためらわず指を喉の奥に入れたわー。不思議なもんでゲロしたとたん、頭痛も消えた。

そして私は、別の計画を立てながら眠りについたのだ。また誰かとお酒を飲もう。

美の換算法

ついに断食道場に行ってきた。

しかし最近、断食がこんなに流行とは知らなんだ。雑誌を読んでいたら、かの美のカリスマ、藤原美智子さんも、私と同じ施設に六泊されたようである。

私の場合、ひもじさに耐えようと、超人気ドラマ「24」（トゥエンティ・フォー）を毎晩、シーズン2まで見ていたので、かなり流行の先端をいったことになる。

それにしても、ニンジンジュースだけの三日間は本当につらかった。後半になると補食といって、玄米のご飯に干物や野菜のおかずが出る。ものすごくおいしい。けれどもここにくるまでなんとつらかったことか。

そうして痩せた五キロである。お金だってうんとかかってる。もう意地でも太るものかと固く決意しても、東京に戻ってくると元のモクアミ。

東京へ帰って二日後、A氏とデイトした。彼とは初めてのデイト。名前を出すと迷惑がかかるので秘密にするが、某有名人のご長男。ご本人も業界では有名な方で、ものすごいハンサムである。名門の血をひく知性（東大出）と、やや神経質なところがミックスされていて、ドキドキするほど魅力的。

しかしハタケヤマは、先日二人で撮った写真を見てこんなことを言う。

「この人、ハヤシさんの好みじゃないと思う」

もともと私はさっぱり系が好きなので、この人みたいにハーフのような濃い系は、たぶん本当は好みじゃないよと指摘しているわけであるが、

「好みか、好みじゃないかなんて、ぶつかってみなきゃわかんないじゃん」

とエラそうなことを言う私。

そうよ、自分の好みを押し通そうとすると、男の人っていうのはすごく限定されるものなんですよね。このトシになってやっとわかった。ま、何も起きるわけはないけどね。

麻布十番の和食屋さんでご馳走してもらった後、彼が誘ってくれたのは近くのワインバーだ。

「僕は赤が好きなんです。ハヤシさんも同じのでいいですか」

と、どんどん酌いでくれる。私の大好きなチーズも頼んでくれた。ああ、断食道場出所直後、こんなに飲み、食べていいのかしら、と思いつつ、仕方ないワとあきらめる私。

「いい男と一緒の時は飲む」

というのは、私の人生の原則である。

そして次の日、君島十和子さんともうひとりの友人でランチをした私。この頃「十和子塾」と称して、時おりランチをする私たち。この時、十和子さんは惜しみなくいろんな技や化粧品を教えてくださるのだ。それどころか「使ってみて」とプレゼントもくれる。

もちろん十和子さんはいつも綺麗な方であるが、その日の肌は輝くようだった。

「とってもすごいパックを見つけたの。帰ったらまずこれを薄く顔に塗って、それからお風呂にも入り、寝る直前までそのままにしとくんです。ピッカピカになりますよ」

十和子さんに直接指導してもらえる私って、なんて幸せなんだろう。

「それにしてもハヤシさん、すごく痩せられましたね」

と誉められた。よーし、頑張ろう、と握りこぶしを震わせる私。ここんとこ対談の仕事やグラビア撮影がたて続けにある。みんな断食後にとスケジュールをたてておいたのだ。十和子さんからいただいたパックをし、体重はなんとかキープしよう。昨日のワインで、見事に〇・七キロ増えたけど、気にしないで頑張ろう。そうよ、人生とダイエットは、いつでもリセットが出来るものなのよッ。

次の日は夫と中華レストランへ行った。夫はここのフカヒレが大好きなのだ。彼はがんがんビールと紹興酒を飲んだけど、私は一滴も飲まなかった。そりゃそうです。夫といる時にお酒を飲む人は変わっている。

ワインを飲んだり、シャンパンを抜いたりするのは、夫以外の男の人とだ。何も夫と一緒にいる時に、太るようなことをすることはない。

けれども暑い夏の日、本当に疲れる。一応、頭脳労働者の私。口に出しては言わないけれども、ストレスだって多い。そして私は発作的に貰いもんのチョコレートを口にしてしまった！　しかも大きいのを二個も。その後はいつもの、「毒を喰らわば皿まで」の精神で、これまたいただきもののモナカも口にした。次の日、体重計にのる。なんと三日で一・五キロ増えてる。

断食道場に十数万円払い、その間近くのホテルに娘とシッターさんを置いといたから、そのホテル代、泊まりのシッター代とで、ゆうに五十万は超えている勘定だ。

一キロ十万円の肉！　そんなもん見たこともない、紀ノ国屋の精肉コーナーにもなかった。どんなにすごいチャンピオンの松阪牛肉でも、こんな値段はしないと思う。それなのにちょっと食べたら、十五万円が消えていったのである……。

断食道場へ行ったら、自分のぜい肉をお金に換算するようになった私。いいことか悪いことかわからない。しかし恋も美も、最後は計算じゃ、どう功利的に考えるかじゃ。

恨みの夏

歌舞伎座へ「東海道四谷怪談」を観に行った。

何度も観てるけど、本当に怖い。特にお寺のシーンで、めらめら燃えている提灯の中から、お岩さんが宙づりで出てくるシーンは圧巻だ。キャーッと思わず鳥肌が立ってくる。

本当に女の恨みというのはおっかない。

私は何年か前に『怪談』という短篇集を書いたことがある。その中で私は、

「男と女のことはいつも怖い」

と結論を述べた。

特に私のまわりは、おっかない女たちでいっぱいだ。世の中からエリートと言われ、頭がいいと言われる女たちだが、こと男の人に関する怒りといおうか、恨みの凄さにはびっくりするものがある。

特に名を伏すけれども、某有名人女性は、不倫相手の男性が関係にビビるとみるや、即週刊誌に売り込んだ。

「だからあの隠し撮りの写真、私がキレイに撮れていたでしょう」

とおっしゃって、私たちはそれこそびっくりした。お堅い仕事に就いていた相手の男性はさっそく失脚したわけであるが、

「私ほどの女とつき合ってたんだから、そのくらいの報いはあたり前でしょう」

だって。

あと別れた男に貸していたお金の請求書に利子をたっぷりつけた女とか、不倫の最中にピルと偽って排卵促進剤飲んでいた女とか、とにかく私のまわりは怖い女でいっぱい。

以前、小説の取材で、結婚式の付き添いさんに会ったことがある。花嫁さんのめんどうをみる、着物姿の年配の女性ですね。この人はいろんなことを教えてくれた。

花嫁さんは緊張のあまり、吐いたり倒れたりする。時々はおもらしをしちゃう人もいるそうだ。そういう時はすかさずそそうをしたふりをしてビールをこぼす。花嫁衣装にシミをつくるそうだ。

「それでもずうっとこの仕事をやってると、いろんなことがありますよ」

その人の顔が急に神妙になった。

「いちばん怖かったことは何ですか」

私は尋ねた。

「女の人が刃物を持って押しかけたとか」

「そんなことはたまにありますが、いろいろとりつくろって座輿のひとつのようにしてしまいます。私がこの仕事をしていていちばん怖かったことは……」

声をひそめた。

「結婚式場の入り口のところに、ウェディングドレスを着た女の人がいて、にこにこしながら立っていたことですね」

私はこの話を聞いた時、背筋がざざーっと寒くなった。さっそく短篇小説にしたところ、私の筆が足りなかったのか、

「これはいったいどういうこと？　次の式をあげる花嫁さんが、たまたまそこに立っていたことなの？」

と聞かれ、ほとんど状況をわかってもらえなかった。よって文庫にした時、

「貸衣装らしい薄汚れたウェディングドレス」

としたけれども、これでわかってもらえたであろうか。

さて断食道場から戻って半月、体重は二キロ戻った……。きつめのジーンズをはくと、ゆき場を失ったお肉が上にたまって、小さい浮輪をおへその上につけたようになる。全くいったいどうすりゃ痩せるの!?　私は叫びたくなる。

断食道場で買った本を読む。道場を経営するお医者さんが書いたものだ。それによると、朝ご飯を食べるのは、肥満の元だという。

夕食を七時に済ませ、次の日の十二時まで食べないと、十七時間絶食していることになるんだって。朝は野菜ジュースかショウガ入りの紅茶。この紅茶には黒砂糖を入れてもいいということであるが、あまりおいしくない。そして夕ご飯はアルコールを含めて、好きなように食べていいとはいうものの、私はおっかなびっくり食べている。これ以上体重を増やしたくないもの。

ところで、私が断食道場に行ったことは世間に知れわたっているので、行く先々で、

「パンツの太もものところが痩せた」

「後ろ姿が違う」

などといろいろ誉められる。それに十和子さんからいただいたパックが効いて、肌がピッカピカ。我ながらホントに頑張ってると思うわ……。

が、最近とてもショックなことがあった。かねてより私が憧れ、一ヶ月に一度ぐらいデイトしていた男性がいたと思ってほしい。ものすごく真面目に思えたその方が、ある女性とドロドロの関係であることを聞いたのである。その女ときたら、もー、よくいる顔と体でのしてきたプチ有名人。底の浅いどうっていうこともない女である。確かに美人だけど。

友人に言ったら、十人が十人「わー、趣味が悪い、見損なった」と叫んだぐらいである。あ

ー、若い時だったらもっとワルグチ書けるのに、こっちもヒトヅマという負いめがある。だけど口惜しさと共にこみあげるこの空しさは何なの？

「いくら努力しても、若くてキレイな女にかなうはずはない」

という真実ゆえの絶望感。私は彼の携帯番号、メールアドレスをすべて消した。私の恨みの夏はこうして過ぎたのである。

大人が勝ち！

暑さも一段落し、涼風が立った日、私は夏の疲れとアカを取るべく立ち上がった。

今年の夏はやたら暑く、どこへ行くのもタクシーを使ったことを深く反省している。私は根っからのメトロ派で、どこへ行くのも地下鉄を使っていたではないか。それが今年の暑さであったから、とにかく駅まで歩く気もせず、すぐに無線タクシーを呼んだりした。

これではいけない。今日からはしっかり地下鉄を使い、どんなところへも歩いていこう。私が通うネイルサロンは、表参道の駅からすごく遠い。高樹町の方まで十五分は歩く。途中スタバで、アイス・カフェ・ラテを飲んでひと休み。

それにしても、田舎に帰ったりしてずうっと表参道あたりには来なかった。なんていおうか、ここいらのスタバでお茶をしていると、本当に都会に生きてるっていう感じがするわ。歩く女の人もみーんなキレイでおしゃれ。

それからネイルサロンへ行き、マニキュアとペディキュアをしてもらった。ペディキュアはかなり剝がれて、悲惨な状態になっていた。時間をかけてお手入れもしてもらうと、心と体がぴしっとなっていくのがわかる。

そうよ、

「女は自分のカラダに、他人とお金がどのくらいかかわってくるかで決まる」

というのが私の持論だ。髪にしても肌にしても、他人さまの手が触れると（性的な意味ではなく）、女性ホルモンが高まってくるらしい。

そしてネイルサロンサンダルでペタペタ歩いて、すぐのジル・サンダーのお店へ行った。シーズンごとにまとめ買いをしているのだが今季はまだ行ってなかったのである。

私の大好きなツイードやスエードがいっぱい出ている。が、今年はますます細身になり、私はデブのままという悲しい現実。

断食道場に行ってから、世間の人は興味シンシンで聞いてくる。会うと必ず聞かれる。

「あっち、どうだった？」

私はこう答える。

「こんなもんですよ」

相手は申し訳なさそうにそれきり黙るのが常である……。

本当に屈辱的なことであるが、私のサイズは今年の春以来、ベストよりひとつ上でとまり、それもきついくらい。

「ハヤシさん、どうしたんですか。少し前なら○だったじゃないですか。いーえ、○でもゆるくなって、ひとつ下にした時もあったわ」

とお店の人が言う。私だってわからない。アルコールも飲まないようにし、ジムにだって通っている。けれども体重計の数字はほとんど変化を見せないのだ。

ま、そんなことはどうでもいいけれども、来月、しばらくパリへ行ってこようと思っている。四月に行ってきたばかりなので、マイレージはすべて使いきってしまった。よって正規の料金で買うためかなり高い。ホテルは元ジョルジュ・サンクのフォーシーズンズホテルにするつもりだから、とにかくお金がかかるの。だからあんまりお金を遣えないわ、と私は自慢たらしく、お店の人にグチを言った。

「あーら、十月のパリなんて素敵ですよね。あちらでお買物楽しめますよね」

今年の流行は「貴婦人ルック」ということで、毛皮がどっと出てきた。これにパールやグローブを合わせるんだって。私たち年増の出番じゃん。

毛皮はミンク持ってるし、パールだって結婚式の時にあつらえたのがあるわ。香港で買った安いパールもある。そういえばこのあいだ撮影の時、スタイリストのマサエちゃんが、三段重ねのパールを用意してくれた。これは持っていないけど、フェイクでもいいから買っておこうかな。パリはフェイクものが揃っているし、ヴィンテージものもいいものがいっぱい。

なんていおうかしら、秋っていうのは大人が勝ち、っていう気がする。そりゃあ夏の間は、若い人にとてもかなわない。若ければ若いほどカッコいい。タンクトップやチューブトップから見える、ぴちぴちの肌。信じられないくらい長い脚。メイクなんかあまりしなくてもいいし、濃い流行りメイクも可愛い。私らおばさんは世間の片隅でひっそり生きてきたけど、これからは真中に立たせてもらいます。今年の秋は、お金があってエレガントな女のものなのよッ。

「そんなわけで、このカシミヤのパンツスーツも試着してみるわッ」

が、パンツのファスナーが上がらない……。

そう、そう、今年の秋は片やジーンズも大流行。ジーンズにシャネルジャケットなんかを合わせピンヒールで女っぽく着る。

「ハヤシさん、今年はジーンズがなきゃはじまりません」

と女性誌の編集長から言われ、私は六本木ヒルズのショップへ行った。それなのにサイズは二十七までだって。信じられない。デブはジーンズをはくな、っていうことらしい。結局エレガントは細身っていうことなのだ。よーくわかりました。デブ地獄から抜け出せない私にとって、つらい秋です。

天敵現る⁉

前からいいナと思って、たまにデイトしていた男性が、サイテーのギョーカイ女とつき合っているという。この事実を知った私は、悲しく、腹が立って、その人の携帯番号もメールアドレスもすべて消した……。

ということを友人に話したら、

「何言ってんのよ。中学生じゃあるまいし……」

と笑われた。

本当にどうして、こう男性に関して進歩しないのであろうか。

そして昨日、その男性からメールが入った。あたり前だ。着信拒否にはしてなかったんだから。内容は「元気?」という他愛ないものであった。これに「返信」したくなり、むずむずする私です。

進化してます
回転ずし
退化するのは
わたしだけ
あーこりゃこりゃ

「誰を好きになっても構わないけど、女の趣味がひど過ぎます。最低！　幻滅しました。あの女のギョーカイでの噂をお話ししてもいいけど、下品になるからやめます。それに私が、あんな女のことを口にするのもイヤ。とにかくもうメールしないでね」

こういうのを拗《す》ねる、っていうんですね。もちろん相手からの、

「何か誤解があるみたいだけど」

「彼女のことは、ただの友だちです」

「一度会ってちゃんと話したい」

というリアクションを期待しているわけであるが、こんな奇跡が、未だかつて私に起こったことがあっただろうか。そうよ、中学生だった十三歳の時から、同じ手を使ってたけど、うまくいったためしがあったかしらん……。本当に悲しくなる私だ。

が、大人になった分だけ、いいことがある。スペアを常日頃からちゃんと用意しているということですね。

先々週、かねてから憧れていた人とデイトをした。二人でカウンター割烹の店へ行き、その後は麻布十番のワインバーへ行った。二人で深夜までいろいろお話ししたわけです。

そして先週のこと、彼と親しいある人が言った。

「○○さんが、初めてハヤシさんと二人きりで食事したけど、すっごく楽しかったって言ってましたよ。あんなに面白い人だと思わなかったって……」

あったり前じゃん。いったい誰とご飯食べてるわけ、って私は言いたくなった。そこらのネエちゃんとお話ししているわけじゃないわ。私は話題も豊富だと思うし、週刊誌や月刊誌で対談のホステスを、もう十年以上しているのよ。男の人が喋りたそうにしていれば、ちゃんと聞き役になることだって出来る。お酒だってかなりいけるし（下心があれば）、場合によってはワリカンだし、ひとりでタクシーで帰るし、楽しくないわけないじゃん。私を誰だと思ってるのッ。

というわけで、彼からメールが入ってきた。

「また お食事に誘っていいですか」

こうこなくっちゃ。秋に向けて新しい恋の予感だわ。ハンサムでインテリで、お金持ちだし、もう言うことがない人なんだけど、ひとつイヤなところがある。奥さんがいる、なんていうのはどうでもいいのだが、実はこの方、最近までくだらないギョーカイ女と、熱烈な恋をしていたのである。

どうして私のまわりの男たちは、揃ってこうギョーカイ女に弱いんだろうか。職種を言えないのがつらいが、ほれ、芸能人と文化人の間にいて、どっちからもおいしいところをついばもうっていう女たちだ。もちろんどっちつかずの中途半端の才能しか持っていないのであるが、ちょっと美人なのでいろいろ重宝がられる。男性にもてる。

私はデビューした頃、こういう女たちが大嫌いで、天敵とみなしていた。ところが年をとり、自分もキャリアを積んでいくにつれ、そんなギョーカイ女のことなどどうでもよくなってきた。ところがこの二十年ぶりの怒り。やっぱり男の人がからむとすごいもんですね。

まあ、私は発展性がまるでないというものの、男の人としょっちゅうご飯を食べる。この行為は、私の人生のプライオリティの第一位になっているといっても過言ではない。だからいい男でなきゃ絶対にイヤだし、おいしいものじゃないと絶対にイヤ。

そして私がこの世でいちばん好きなのはお鮨。好きな人と二人、カウンターに座るのは、まさに至福の時なの。

が、私はこの幸福から三年近く遠ざかっていた。そう、炭水化物を抜くダイエットをしていたからだ。最近はやり方を変えたので、たまにお鮨を食べられるようになった。

この時は燃える。食べる、なんていうもんじゃない。このあいだは大好物のシンコだけで二十個は食べた。一緒に居た男性は、

「キミの食べっぷりが大好きだ」

と言ってくれたものである。

が、義理やいろいろからんで、まずいお鮨を食べなきゃいけない時もある。家族で行ったリゾート地で、回転鮨に入った。このテの店に入るのは十年ぶりぐらい。なんか気がすすまない……。

が、座って驚いた。海辺の町だったので新鮮な地のものは多いし、好物のマグロもいける。

回転鮨って、こんなに進歩しているのね。私の男性とのつき合い方より、はるかに進歩している。

今夜はこれから例の男性とスッポンを食べに行く。なんかエロティックでしょ。

花柳界の鉄則

「あんな女とつき合ってサイテー。あなたという人を見損ないました」

というメールを送ろうか送るまいかずっと悩んでいた私。タクシーで六本木に向かう途中、ケイタイはなぜか「圏外」になっていた。約束の男の人と、スッポン料理店に入ったのだが、そこでも「圏外」のマークが出るではないか。

「ここはビルの中ですけど、おかしいですね」

と店の人も首をかしげる。私の男友だちは、

「よかったら、僕のケイタイ使って」

と言ってくれたのであるが、まさかこんな文面を他の人のケイタイから流せませんよね。

私は思った。これはもしかすると神さまのご配慮ではなかろうか。

「いつも早まったことで、失敗するではないか。お前のようなレベルの女が短気を起こしても、

それで、相手がおろおろするわけでもないのだぞ……」

と、神さまが言っているのではないだろうか。が、こういう場合、運命に逆らいたくなるのが私という人間なんですね。スッポンを食べ、次の店に行こうと歩き出した時、いきなり「圏外」のマークが消えた。すかさず「送信」のボタンを押す私。こうして、

「あんたなんかサイテー」

というメールは、あちらに流れていったのである。そしてすぐ返信が来て、いろんなやりとりがあったのであるが、お互いのプライバシーのため、ここに記す気はない。しかし、私は今も不愉快である、ということは言っておこう。

次の日、ハタケヤマにこのことを告げたら、驚き呆れられた。

「ハヤシさんって、どうしてそんなにオトナ気ないことをするんですか。信じられない。誰だって好きな女性のことを、悪く言われたらイヤな気分になりますよ。ちょっとひどいと思いますけどね」

「うるさいわねー、したいからしただけよ。そういうことをするのがハヤシマリコなのよ」

そして私の夏は終わりを告げたのである。

その夜、私は何人かの女友だちとご飯を食べ、このことを話し慰めてもらった。みんなの意見は、

「ま、男と女のことは仕方ないから」

ということであった。そういえば私、ちょっと前に、『男と女とのことは、何があっても不思議はない』というタイトルの本を出したっけ(文庫になったのでよろしく)。

話はみんなの知り合いA子さんのことになった。正統派美女の彼女に、私の友人の多くも心を奪われている。「オヤジころがし」と悪口を言う人もいるが、そのさばき方は見事なものだ。

「まるっきり何もサセないで、オヤジを束にしてひっぱっていくってすごいわよねー」

友だちのひとりが言うと、

「あーら、そんなの花柳界の鉄則よ。いかにサセないでひっぱっていくかってね」

千代菊ちゃんが言う。彼女は何年か前まで売れっ子の芸者をしていた女性である。

私にはそのあたりの加減がよくわからない。だってそうでしょう。もし好きな相手が自分とそういう関係を持ちたかったら、さっさとすればいいじゃないの。ま、私はヒトヅマなのでいろいろ問題があるけれど、独身の女だったら、そういう冒険をスパッと心おきなく出来るはずではないか。

反対に自分にそういう欲望を持っている男の人と、だらだらとご飯を食べたり、お酒を飲む神経がよくわからないです。好みで「いずれ」と思っているのなら、そういうのも楽しいけれども、永遠にその気がないのなら、女にとって苦痛じゃないの。スキがあったら口説こうとしてくる、好みじゃない男と、だらだら一晩いるなんて、私には出来ません。

「そういうこと言ってるから、ハヤシさんってモテないのよ」

別の友人にずばり言われた。

「うざったくても、手ぐらい握らせてとにかくひっぱる。いつか役立ちそうだと思ったらキープしとく。このくらいのことは出来なくっちゃね」

どうしてみんな、男と女のことにこんなに精通しているのであろうか。教えられることばかりである。

ところで私には「魔性の女」と呼ばれる女友だちが何人かいる。彼女たちに共通しているのは、ねっとり感と投げやり感であろうか。しかし、いい女のプロフェッショナルである千代菊ちゃんは、魔性の美女でもさっぱりしている方だ。投げやり感もなく、きちんとした展望とプロセスがある。

とびきりの魔性の女C子さんはよく言う。

「私っていいかげんだからさァ……」

男の人にもだらしないのよ、ということなのだが、ちょっと酔っぱらって彼女がこれを言うと、まわりの男たちは目の色を変えるのだ。

彼女だったら私のメール事件のことをどう言うかしら。実は今日、二人でスッポンを食べることになっているのだ。どうしてスッポンばっか食べるのか。あんたは叶姉妹か……。その理由はまた後で。

完璧美人の悩み

今年の私のいちばん大きな収穫は、〝美のカリスマ〟君島十和子さんと親しくなったことがあげられよう。

十和子さんとランチをして、いろんなことを教えてもらう。お勧めの化粧品をいただく。とっても楽しいひととき。十和子さんと会うようになってから、心を入れ替えきちんとネイルサロンへ行くようになった私。

それにしても、十和子さんをこんな間近で見られる私というのは、なんて幸せなのかしらん。透きとおるような肌には、シミ、シワひとつない。そして信じられないほど長くて濃い睫毛。これだけ美しい人を目の前にすると、幸福感に包まれる。

「こんなにキレイなものを見せていただいて、ありがとうございました」

という気分。

そうよ、うらやましいなんていう感情は、あるレベルの人に対して起こるもので、これだけかけ離れた存在に対しては、もうもう賛美するばかり。

こんな美人ならどんなに性格悪くても許すけど、なんと十和子さんというのは、とってもいい人であった。謙虚で話は面白いし知的である。私と違って、人の噂話なんか絶対にしない。外見だけでなく、中身もエレガントな女性である。

私は十和子さんと撮った写真をみんなに見せびらかす。するとあの口の悪いテツオでさえ、

「本当にキレイだなあ！」

と素直にうなったぐらいである。

さて、つい先週この〝美のカリスマ〟十和子さんと、〝美の伝道師〟かづきれいこさんとランチをとった。かづきさんというのは、今話題の〝元気をつくる〟メイクアーティストである。

「私は流行のメイクはしないけど、元気の出るメイクをします」

とおっしゃるとおり、最初はリハビリメイクからの出発であった。病気やケガで顔にトラブルをかかえた人たちをメイクで救っていったのだ。そのうちリンパ腺や皮膚の研究を始め、ご自分で化粧品も発売し始めた。

私も一度メイクをしていただいたことがあるのだが、パフを強く動かしてリンパ腺を刺激していく。そして色と影により、キュッと小顔に見せていく。メイクの後で、鼻の横の法令線が消えていたのには驚いた。

このかづきさんに十和子さんをおひき合わせしたのは私である。〃美のカリスマ〃と〃美の伝道師〃を結びつけたとかなり自慢だ。さてその日はかづきさんのところへ行き、メイクレッスンをしていただくことになった。

かづきさんは、私の顔の左半分をメイクし直してくれた。

「ハヤシさん、耳をひっぱって頬と首のところを血流に沿って強くパフでこすってください。首のところの肉が落ちますすよ」

あら本当。三十秒間してもらっただけで、左側の頬がすっきりしてきた。

そしてかづきさんは、十和子さんの頬に軽く頬紅をひいた。一本の線を入れ、目の錯覚で頬をさらにほっそり見せるんだそうだ。

「でも十和子さんには、これ以上何もする必要はないわ」

とかづきさん。

「十和子さんのように、メイクもプロ並みで、何もかもレベルの高い人に、あれこれ言うのは失礼です。私は何も言いません。ただ頬紅の位置をちょっと変えただけよ」

「やっぱり十和子さんって、すべて完璧なのね」

私はため息をつく。

「ホントに何もしなくってもいいんだわ」

「いいえ、十和子さんのような美人には、美人なりの悩みがあるんですよ」

と、かづきさんはきっぱり。

「ハヤシさんの顔は、十年たってもそんなに変わらないと思うの。それどころか、いい味を出していくはずです。だけど十和子さんはこれから大変よ。この美貌をずっと維持しなきゃならないんですもの」

あ、この言い方、聞きようによっては、かなり私傷つくかも。さらにかづきさんは断言する。

「十和子さんって、おそらく他にもいろいろ悩みがあるはずです」

「えー、そうかしら」

私はつい、きつい口調になって聞いた。

「十和子さんに悩みなんかあるの⁉　あるはずないわよねッ！」

「ありますよ……」

私の見幕に驚いたように、十和子さんはやや後ずさりする。

「顔が左右対称じゃないとか……」

なーんだ、そんなこと。対称じゃなくたって、右と左どっちもきれいなんだからいいじゃん。そんなことで悩んでるなんて、私、本当にひがんじゃうよ。怒るよッ。

が、その時私は気づいた。実は私自身もそう悩みがないのだ。この低い鼻も、黒目が少ない目も、すべて自分の個性だと、長いこと精神修養してきた結果である。だから目のまわりの小ジワ以外、これといって悩みがないの。なんだかこれって、すごくみじめな気がしてきたけど。

傷だらけの秋

いつまでも残暑が続くと思われたが、ある日突然涼しくなった。

私がワルグチを書きまくった、例の男性からは全くメールが途絶えた。一緒にスッポンを食べた男性も、これといって連絡を寄こさない。

そう、そう、どうしてこうスッポンばかり食べているのか、という話を前々回でして、それきりになってしまった。

実はスッポンを食べに行こうという約束をした時、私はいきつけの店「A」を予約した。しかし彼の方で、六本木の別の店を指定してきた。いつのまにか自分が仕切ることが習い性になっている私。やーね、こういうところがきっと男の人をその気にさせないんだわ。

「A」をキャンセルしてもよかったのであるが、商売人の娘として生まれた私は、こういうことは出来るだけ避けたい。よって別の日に変更し、女友だちと出かけたのである。

その女友だちというのは、前にも話したとおり、自他共に認める〝魔性の女〟である。この魔性の女とスッポンを食べているうちに、話は悪巧みへと向かう。彼女はあの男に電話しよう、メールしようとやたらけしかけるのであるが、もう何の野心も自信も起こらない私。

今回のプチ失恋は、私の心に大きな傷を残したのね。どんな頭のいい男の人も、くだらないタダの美人にひっかかるという事実。

あーあ、本当に空しいわ。

そうつぶやきながらトウモロコシを食べる私。青森の友人から、いっぱい送られてきた甘いやつ。鳥取の友だちからは梨。名古屋からは栗蒸し羊かん、どれも私の大好物である。

このあいだ新聞の折り込みチラシに、

「これで痩せなかったら、全額お返しします」

という触れ込みのドリンクが出ていた。ふだんはそういうのにひっかからない私であるが、なんかチラシがよく出来ていたし、「体験者の声」も信用してもいいような気がしてきた。さっそく三ヶ月分申し込み、朝晩飲んでいる。が、なんの変化もない。

そうしながら、栗、トウモロコシ、梨を食べまくっている。

もう怖くて、この半月ぐらいヘルスメーターにのっていない。昨年の秋物のスカートをはいたら、かなりきつかった。

ショックは続く。地下鉄にのって、ぼんやりと中吊りを見ていた。ちょっと離れたところに、週刊誌の広告があった。そこには同じ大きさで、女の人の顔が四人並んでいた。いちばん右端の顔に見覚えがあるわ……。

私の顔じゃん。そう、そう、今週からこの週刊誌で連載小説を始めることになっているので、そのお知らせなのね。

傍で小泉今日子ちゃんとか、クボジュンの顔が記事がらみで並んでいるわけ。その感じって、おわかりでしょうか？

六メートルぐらい離れてたけど、彼女たちとの違いははっきりわかったわ。人間の顔って、こんなに離れたところで見て、こんな小さい写真でも、こーんなに違いが出るもんなんですね。私は悲しかった。おそらく地下鉄の中で、こんなにうちひしがれる人って、私ぐらいだと思います。

その他にもいろいろイヤなことがあった私は、本屋で細木数子先生の『六星占術による火星人の運命』という本をつい買ってしまった。本によると「火星人＋」の私は、今年はわりといい年。十月からはいままでの努力が実っていくようである。あれ、なんか違うような気がするわ。

が、先生はこう言ってらっしゃる。

「よく生まれ日を変える人がいます。たとえば十二月の末生まれなのに、縁起がいいからと、一月一日生まれにする人ですが、この日で調べても何の意味もありません」

イヤな記憶が甦った。

二年ぐらい前のこと。実家へ帰ってイトコや母たちと喋っていたら、イトコが、

「マリコが生まれた三月三十日は……」

と言い出した。

「えー、三月三十一日だよ」

と別のイトコ。彼女たちとは隣り同士で育った。赤ん坊の私をよく知っている仲だ。

「ちょっと待ってよ。私の生まれた日は四月一日だよ。占いの本にだって必ずのってるよ」

と私は叫んだ。

「私の生まれた日は、いったいいつなのよ!?」

と母に詰め寄ったところ、

「そんな昔のことなんかどうだっていいじゃないの」

と平気で答えるではないか。

「三月三十一日か、四月一日だか忘れちゃったわよ」

信じられない。私はボロボロになった母子手帳を見た。四月一日、九時半出生となっている。

が、私の頃はお産婆さんが取り上げたので、かなりいいかげんだったらしい。

母は、娘がこれほど占い好きな人間になることを予想しなかったんだろうか。娘の人生が、人から注目され、占いの本にのるとは想像しなかったのか。もちろんそんなことは考えもしな

かっただろう。
結局私は自分自身の判断で強く生きていかなきゃいけないのね。
それにしても、私はいったい何星人なんだ⁉　誰か教えて‼

セレブの現実

今年（二〇〇四年）の秋は「淑女ルック」とか「女優スタイル」とか、いろいろ言われてきたけれども、女性誌の人に言わせると、「セレブリティ・ライク」でキマリだそうだ。私なんか本物のセレブリティだから、何をやってもサマになるわけよね、オー、ホッホッホッ。

もうアクセサリーやコサージュなんか、じゃかじゃかつけちゃおう。年増の強みで、こういうもんはいっぱい持ってる。そお、真珠だって本物のすごくいいやつがあるんだから。十五年前に結婚した時、ウェディングドレスに合わせてつくったもの。これを見るたびに、どうしてあの頃、あんなに幸福でいられたか不思議で仕方ないの……。

なんかモノの本によると、

「今年はカジュアルな格好に、本物をさらりとするのが素敵」

なんだと。

そーいえば、私の〝チョモランマ〟こと、そお、踏み込むことさえ不可能になったクローゼットから、二年前にハワイで買ったシャネルのブラウスを発見！　まだ凍死はしてないぞ、しっかりしろ。これに真珠を合わせて、その上に着るのはイナバ・ヨシエの黒いスーツよ。このあいだ撮影でスタイリストさんが持ってきてくれたのを、気に入って譲ってもらったものだ。イナバさんのものは今まであまり着たことがなかったけれども、ウエストコンシャスのデザインがとても女っぽい。肩のカーブも優雅で今年っぽいわ。が、私のボディが全然今年っぽくない。きつくてスカートのファスナーが上がらない。ジャケットのボタンがかからない。おかしい、このあいだの撮影の時はちゃんと入ったのに……。

そうか、とすぐに合点がいった。確かあの時は八月で、断食道場へ行った直後だったのだ。あれから私はみるみる元に戻り、多くの人から、

「あらー、断食道場行ったんじゃなかったっけ。これから行くんだっけ」

とイヤ味を言われる始末である。

今日もシャネルに真珠を組み合わせ、ハタケヤマに、

「ね、ね、これっておしゃれでしょ。流行ってるわよね」

と誉め言葉を強要したところ、

「おしゃれっていうより、ピッチピチですよ。ボタンがはじけそう」

と冷たい返事。そういえばこの頃、何を着てもボタンがピッチピチ。ブラウスを着ると、中

身が見えてしまうぐらいだ。

何とかしなきゃ、何とかしなきゃと思い、プチ断食をすることにした。それは断食道場のお医者さんの本にちゃんと書いてある。

「まず朝食を抜きなさい」

夜の七時に夕ご飯を食べ終わり、次の日のお昼まで我慢すると、十七時間断食をしたことになる。そして昼飯におソバぐらいを軽く食べ、夕飯はお酒を含めて好きなだけ食べる。これで確実に痩せるそうだ。が、私の場合は、昼飯をうんと食べる。ジムがある日は、いつもの親子丼とうどんセット、ジムのない日は、友人とイタリアンやお鮨を食べる。かなりハードだ。その代わり、ふだんの夜はほんのちょっぴり。おかずをつまむぐらいだ。このペースが続けば、そう体重が増えることもないのだが、私の場合、夜の会食が週に三、四度ある。このあいだすごい夫婦ゲンカをして、その結果、週に二回ぐらいにとどめているが、それでもご馳走を食べることに変わりない。

今日は会議が昼の十二時から夕方の五時まであり、しんから疲れてしまった。そんなわけで若い友人を誘って、お汁粉を食べた私。最近すっかりアンコものにはまっている。

私の大好物のひとつに、築地魚河岸の「茂助だんご」がある。わざわざ築地まで買いにいったり、人に頼んだりもしていた。が、新宿タカシマヤの地下で売っていると知った時の嬉しさ。まとめ買いをし、「すぐに食べないと固くなるから」という名目で、いちどきに四本ぐらい食べる。

また私は阿佐ヶ谷「うさぎや」のドラ焼きに目がない。が、ここの店は遠く、入手困難であるために、そう口に出来るものではなかった。ところが最近、仕事で知り合った方が、よくこのドラ焼きを持ってきてくれるようになった。阿佐ヶ谷にお住まいだという。

その人がこんな風に言った。

「今日ハヤシさんに会うんだなあと思った時、うさぎやのことが頭に浮かんだんです。どうしてもここのドラ焼きを買ってかなきゃって思ったんですけど、どうしてでしょうか」

おそらく私のエッセイのせいだろう。何年か前、うさぎやのドラ焼きが大好きと書いたことがある。その方は昔エッセイを読んでいて、それが頭のどこかにひっかかっていて、何年ぶりかに甦ったのだ。そして、

「ハヤシマリコのうちへ行くなら、うさぎやのドラ焼き」

になったのだ。ありがたい話である。このところ、すべての偶然が私をデブにしようと導いているようだ。ああ、もう一度この格言を叫ぼう。

「日暮れて道遠し」

やりきれませんっ！

このところダイエットネタばかりで申し訳ないが、今年の二月のことを思い出してほしい。

個人トレーナーの指導を受けるにあたって、その方はこう言ったのだ。

「うちでトレーニングを受けてくれたら、三ヶ月でハヤシさんを冨永愛にしてみせます！」

きっぱり言いきった。

が、あれから八ヶ月たつが、私はハヤシマリコのままである。

が、冨永愛ちゃんの方は、このたびめでたく妊娠され、結婚されるそうだ。お腹がどんどん大きくなっていく。

見よ、この運命のいたずら。

ハヤシマリコが冨永愛になるのではなく、冨永愛がハヤシマリコに近づいたのである！

さてついこのあいだのこと、アンアンのホシノ青年が言った。

「ハヤシさん、たまにはパーッと一緒に遊びましょうよ。ホリキが『よねむら』に招待したいと言ってますよ」

お、さすがにおしゃれで名高いホリキ編集長。よねむらといえば、いまいちばんキテるレストランではないか。京都の有名なフレンチ懐石の店が、今回初めて東京に出店したという。これから東京でいちばん予約が取りづらくなる店だと評判だ。

「レストランは銀座のバーニーズ・ニューヨークの上にあるから、それまで店を見ましょうよ」

とホシノ青年が言い、二人で出かけた。

ゆっくり買物するのは久しぶりだ。このところ、あまりの忙しさに、いきつけの店へ飛び込み、まとめて買うことが多い。こんなふうにぶらりと入って、だらだらお店を見るなんて久しぶりだわ。

が、最近流行りのセレクトショップってどうも苦手だわん。どっちゃり置いてあるのと、統一性がないのとで本当に見づらい。素敵な秋冬物が揃っているらしいのだが、それを見つけるのが大変だ。しかもジーンズのサイズはたいてい24！

「24のジーンズはける女なんて、東京にいったい何人いるんじゃ」

と私は毒づいた。

そして結局、歩いて三分の「ザ・ギンザ」へ行ってお買物。ここもセレクトショップであるが、どこに何があるかたいていわかっているので、とても見やすい。

「ハヤシさんのために、マノロ・ブラニクの靴を二足とっときましたよ」

と店員さんが親切に言ってくれるのはありがたいが、マノロの靴は細身で、甲高幅広の私に合うものはなかなかない。おまけにファッションも担当するホシノ青年は、興味シンシンでヒトの足元を凝視するではないか。いくら若い仕事関係のヒトでも、男の人に靴を試すとこなんか見られたくないわ。

それに靴は思っていた以上に細く、足を入れる前から緊張してしまった。こういうのは大足の女じゃないとわかってもらえないと思うが、つま先が靴に入ることを拒否してツッパってしまうのだ。

「ヒエーッ」

ついに足がひきつり、店中大騒ぎになった。

すったもんだの後、再びバーニーズのビルに戻り、よねむらへ行く。カウンター席にホリキさんが既についていた。

まずは白ワインで乾杯。今日は飲んじゃうもんね。冨永愛ちゃんもお腹大きくなってるし(!?:)。

まるで絵みたいな前菜がいろいろ出てきた後は、スッポンのスープ、鯛のサラダ、麩にフォアグラとトリュフがのっかったものが出てきた。冷たいキャビアのパスタ、小さなステーキが出た後は、カレーライスがちょぴり。がつがつ食べる私。

「ハヤシさん、ちょっと疲れた顔してるわ。仕事が忙し過ぎるんじゃないの」

とホリキさん。

「そうなの。ちょっとキャパシティを超しちゃった。それにね、この頃また太って、服がきつくなってるの。前の晩にあの服着て、あのコーディネイトしようと思うじゃん。そして朝、袖をとおそうとするときつくて入らない。それで別のものを大あわてで探す。このストレスったらないわよね。毎日よー」

「わかるわ〜〜」

ホリキさんは近いうちに、一緒に買物に行こうと言ってくれた。センスバツグン、知識たっぷりのアンアン編集長とお買物に行ったら、もう最高です。

「ところでハヤシさん。最近仲よかった男の人をきっぱり切ったって、うちに何度も書いてるじゃない。その男の人の、相手の女っていったい誰？　私のまわりじゃ、みんな知りたがってるわよ」

「口にしたくないわ」

「じゃ、ヒントを五つだけ言って。当てるから、イエスノーで答えてね」

三十分後、めんどうくさくなった私は、ついに女性の名を告げた。

「サイテー！　業界のいちばん安い女じゃない」

ホリキさんも怒り出した。

「叶姉妹とつき合ってるって言うなら、それはそれで立派だけど、あんな女…。ハヤシさん、そんなセンス悪い男と、もうつき合わなくて正解よ。あったり前よ」

そうなんだけど、メールもまるっきりなくなって、やっぱり淋しい晩秋です。なんかいっぱい買物しなきゃやりきれません。

シャネルが呼んでいる

日本は台風騒ぎが続いていたのに、パリは真冬であった。毛皮のコートの人もいる。海老蔵襲名パリ特別公演を観に来た私。取材でも何でもない。このところ仕事が忙しくて、ささくれだった私の心を癒すため、「エイ、ヤッ」と旅に出たのである。

さっそくお買物三昧と言いたいところであるが、マイレージが切れていたため、正規の航空運賃がかなり痛かった。おまけにこのところ、かなり太っているのでいつものサイズでは入らなくなっている。

ビンボーでデブといったら、もう購買意欲なんてゼロになっていくでしょ。

しかしパリのブティックのショウウインドウの魅力的なことといったらどう？　こっちに留学している若い友人は、

「日本のお店の方が、ずっとおしゃれで品数が多いですよ」

と力説するけれども、こっちは見せ方がうまい。石畳の暗い街に浮かびあがるショウウインドウの効果を、ちゃんと計算しているのだ。飾り方もセンスがいい。

パリの女性たちも同じだ。友人は、

「日本の女の子の方が、ずっとおしゃれで洗練されてます」

と、こっちに来てから妙に国粋主義者になっているが、公平な目で見て、やはりこっちの女性はカッコいい。なんでこんなに素敵なんだろうとつぶさに観察したところ、あることに気づいた。

十月とは思えない寒さなので、みんなコートや革ジャンパーを着ている。その際、明るい色のマフラーを首にしているのだが、それがなんともきまってるのだ。三回巻いて首で結んでいる。これは首が長い白人、しかも全体のバランスがいいラテン系だから出来ること。私ら日本人だと二巻きがせいぜいだ。私のように首が短い人だと、ずんぐり首詰まりの印象はまぬがれない。

ちょうどパリコレの最中とあって、街は華やかな女性でいっぱい。次の会場まで歩いていくモデルの人も見た。もう歩き方からして違っていて、この世のヒトとは思えない細さ。す、すごい。

あきらかにエディターと思われる女性たちが、手配の車にあわただしく乗り込むさまも見た。最近、編集者やファッションジャーナリストのお洋服というのも、会場入りするモデルたちと同じように注目されている。私も持っているゴヤールのバッグも、編集者たちから火がついたんだもんね。私が見たあちらの編集者たちは、スーツにピンヒールで女優さんのような美人。車に乗り込む時の足の動きも、シロウトさんっぽくない。自分たちが被写体になることを充分意識している。

みんな流行のツイードであったので、私はやっぱりシャネルのツイードが欲しくなった。今年はどこも似たようなものをつくっているが、やはりシャネルのツイードの可愛らしさにはかなわない。日本で買うと五十万円弱だ。

「こっちはもっと安いですよ」

と友人は証言するが、値札を見たら四十万円というところか。これを持ち帰り、成田で申告したりすると、そう変わらないような気がする。

「だけど欲しいなあ、シャネルのツイード……」

パリはヴィンテージのお店がすごく充実していて、そこに行ってもシャネルの古いのがどっさりあるということであるが、私はあんまり好きじゃない。

二年前のこと、現地の友人二人とそういうお店に行ったら、車で金髪の女性が乗りつけてきて、どさりと袋を置いていった。中からブランド品のお洋服がどっちゃり出てきたのであるが、彼女からも洋服からも、きつい香水のにおいがぷんぷん。

「たぶん高級娼婦だと思うわ……」

友人がこっそりささやいた。それから何とはなしに敬遠するようになってしまった私……。

「明日はエルメスへ行きましょうね」

こんな最中、こっちのレストランのマダム、ミチコさんから電話がかかってきた。私はミチコさんを「バーキンの神さま」と名づけている。エルメスの店員さんたちと仲がよく、オーダーを入れてくれそうな時期をちゃんと把握しているうえに、在庫ももれなくチェック。パリに来る日本人女性の多くは、彼女の尽力でバーキンを手にしているのだ。とにかく親切な人で、友人たちのバーキンを手配するのに人生をかけているようなところがある。私は彼女のおかげで、四月にミニバーキンを手にし、その際水色のバーキンもオーダー出来た。ミチコさんが先週お店に行ったら、パープルのバーキンがあったので、マリコさんのためにとっといてもらってあるわと言う。

家にはまだ封をといていないクロコの三十五センチのバーキンもある。「タンス預金」ならぬ「バーキン預金」。いつかお金に困ることがあったら、未使用のこれらを並行輸入業者に持ち込めば、なんとかしのげそうだと思う。これが心の支えになっている私。

が、すぐに反省した。なんかパリに来て、セコイことを考える私ってイヤ。今年の秋こそ、クロコのバーキンをデビューさせようっと。定期崩してシャネルも買ったるか！

極楽パリ三昧

秋のパリにやってきたものの、サイズはひとつ大きくなっているうえに、お金がない。お洋服は諦めることにした。

その代わり、といってはナンであるが、食べることに専念する私。

例の断食道場へ行って以来、朝ご飯を食さないことにしていたが、パリではしっかりいただきます。私のいつものホテルは、フォーシーズンズ・ジョルジュ・サンク。いまパリでいちばんおしゃれなホテルといわれているところだ。アメリカ人の有名なフラワーアーティストがお花のデザインをしているので、ロビィに飾られた生花の素敵なこと。さながらミュージアムみたいだ。

ここの贅沢なダイニングで食べる朝ご飯は最高で、他のホテルに泊まっている人や、留学している友人から、

「お願いだから、朝ご飯あそこでご馳走して」

と頼まれる。もっとも朝ご飯といえない値段ですけどね。

「あんまり高いから、明日からは近くのカフェで食べようかな」

と友人に言ったところ、ケチと叱られた。

「あそこのホテルに泊まったからには、やっぱり朝ご飯を食べなくっちゃ」

コンチネンタルブレックファストを頼むと、籐のカゴに、パンを山盛りにしてきてくれる。クロワッサン、チョコレートやクリームのペストリー、ふつうのトースト、それにちっちゃくて固いフランスパンもすごくおいしい。これを四個ぐらい食べるので、カロリーはどのぐらいになるんだろう。それとカフェオレもいっぱい。

昼は昼で、何を食べようかなあと考える前に、パリのレストランのマダム、ミチコさんが誘ってくれる。

「マリコさん、おいしいカキを食べに行きましょう。今、カキがいちばんおいしい時なのよ」

市場へ行く。途中で鴨のクンセイやテリーヌを買った。それからミチコさんは、イチゴとブルーベリーも袋に詰めてもらっている。そして市場のはずれにあるレストランへ入った。まずシャンパンを頼み、その中に買ってきたブルーベリーをいっぱい入れた。洗ってないけど、ま、いいか。

ブルーベリーの香りと味がついたシャンパンを飲み、それからイチゴを食べる。その頃、クラッシュした氷がのった銀の皿に、生ガキがいっぱい盛られてきた。これに合わせて白ワインを頼む。

昼間っから、パリでシャンパンとワインを飲む。もう極楽ですよ。カキはちょっと小さかったけれども、海の醍醐味をたっぷり味わわせてくれる。それから一緒に頼んだウニもおいしい。

その夜は、やっぱりミチコさん、他の友だちと一緒に、チャイニーズで北京ダックを食べた。余ったチャーハンは包んでもらってお夜食にする。

次の日は雨。タクシーでこちらに赴任している友人をピックアップし、おいしいと評判のお鮨屋さんへ。

パリでお鮨というのは、かなりスノッブでいい感じ。サン・ジェルマン通りの回転鮨へ行ったことがあるが、ファッショナブルな人ばかりでびっくりしたことがある。といっても、肝心のお鮨は、ベトナム人かカンボジア人がヘンテコなものをつくっていて、少しもおいしくなかった。

さて、その有名なお鮨屋さんは、サン・ルイ島にあった。歴史的建物が多く、高級観光地として知られるこのあたりは、その場所も絵になる。お鮨屋の窓から見ると、古い街に雨が降っていて、まるで昔のフィルムみたいだ。ここでも白ワインを飲む私。

日本ではそんなにお酒を飲まないのに、パリに来てからは、ワインなしでは食事が進まない。空気が、湿度が、ワインを要求しているという感じだ。

そして夜は、ミチコさんのお店「ステラ・マリス」でディナー。前菜からデザートまで繊細なおいしさ。ここでも赤ワインを飲む。パリに来たんだから、ちょっといいワインを飲むつもりだったのだが、ソムリエが安くておいしいものを選んでくれた。うーん、もうたまりません。このあいだ四月に来た時は、三ツ星レストランへも行ったけれど、私はこのお店のフレンチの方がずっと舌に合う。フレンチの伝統をちゃんと踏まえながらも、日本っぽいデリケートさがある。最後のプチ・ガトーまでしっかりたいらげた私である。

そして次の日は、おうどん屋さんへ行った。ちゃんとこっちで打ってる讃岐うどんで、こんなにおいしいものは東京でもめったに味わえない。うどんもいいが、天ぷらやイナリズシもあるではないか。エビ天をうどんの中に入れて、天ぷらうどんにする。カツオブシのにおいのするおダシも、一滴残らずたいらげた。あー、幸せ、幸せ。

このあとホテルへ帰り、ティールームで、お紅茶とモンブランケーキを食べる。

「ケーキは東京の方がずっとおいしい」

と、例の国粋主義者は言うけれども、東京のいったいどこで、こんなにゴージャスな雰囲気でお茶を飲ませてくれるところがあるかしらん……。う、うまい。

ところで今日は日本に帰る。心を入れ替えるとあなたに誓おう。

欲しいものは欲しい

パリから帰ってくると、いつも多くの人から質問を受ける。

「向こうで何買ったの？」

成田の税関でもよく聞かれる。私はマジメに申告してる方だと思うのだが、免税のところを素通りしようとして、

「今回は何もないんですか、ハヤシさん。申告はないんですね、ハヤシさん」

名を連呼されたことがある。

「すごいじゃん、あれだけ名を連発してもらって」

一緒にいた友人が笑っていたっけ。

四月にパリで二泊した時は、かなり買いまくった。ハタケヤマが精算しながら、

「たった二晩で、こんなにお金を遣えるもんですか……」

今年の定番は
やっぱりこれでしょう!!
エルメス
ケリードール

ってため息をついてたっけ。

が、今回はあんまり買わなかった。というのもユーロが急に上がったからだ。東京で買うのとほとんど変わりない。私の大好きなファッションビル「ボン・マルシェ」で、シャネルの靴を一足買ったぐらいだ。が、東京では買えないのがエルメスですね。四月に本店で、話題のミニバーキンをゲットしたばかりであるが、今回は何があるかしら。しかし二十年来めんどうをみてくれている店員さんに言われた。

「ごめんなさいね。バーキンは一年におひとりさま一個と決まっているんです」

ハヤシさんはそんなことがないと思うけどと前置きして、この頃バーキンを手に入れるやいなや、すぐに業者に売る人が多いので、お店の方でもとても警戒しているのだそうだ。

「そうよ、そうよ」

とパリの「主《ぬし》」のようなミチコさん。

「ほら、あの中国人の女のコ、カウンターにいるコもそうよ。オーダーしたバーキンを受けとってるけど、四十五万ぐらいで買ったものを、店の外ですぐ八十万で手渡すのよ」

日本語がわからないと思って大声で言う。そのうちに目つきの悪いアジア人の男が二人、店に入ってきて、あちこち物色し始めた。もしバーキンがあったら買って転売しようと思ってるんだろ。全くこういう人が多いから、バーキンに異常な値がつくんだわと、私は自分で「バーキン預金」していることも忘れてぶつぶつ言った。

けれども店員さんは「せっかくいらしたんだから」と、奥からケリードールを出してきてくれた。キャーッ、可愛い。ちっちゃなケリーに、目と鼻と口、手足がついているのだ。何個かつくったら、あまりの人気にアンコールとなった。が、今回数個つくって製造はやめるそうだ。お財布代わりに持つと可愛い、ということでこれをいただく。

ところで以前から、欲しい欲しいと思っていたシャネルのジャケットであるが、あまりの高さに諦めたことは、既にお話ししたと思う。しかし、どうしても欲しくなってきた。欲しい、欲しい、欲しい。これほど物欲が昂ぶったのは久しぶりだ。今回、マイレージなしでパリまでビジネスクラスのチケットを二枚買い、フォーシーズンズホテルに泊まったため、かなりの散財である。が、欲しいものは欲しい。シャネルのジャケットというのは、ちょうどパリで買うバーキンの値段ぐらいであろうか。

私は決意した。

「よし、東京で買おう」

東京でシャネルを買うというのは、かなりの勇気がいる。だって本当に高いんだもん。しかしあれだけ店に商品が並んでいるというのは、買う人が多いということであろう。若い人だって買う人は買う。なんで私に買えないの。

私はこのところ、色気というものが皆無となった。男の人に対して、全くと言っていいぐらい興味を失ったのだ。この二年間、熱を上げていた男は、ギョーカイの安い女とつき合っていることがわかった。あれがトラウマとなっているわけでもないが、もう他の男の人もどうでもいい、という感じ。おかげでメル友は全滅状態となった。それまで私には、一ヶ月に一度ご飯を食べる男性が四人ぐらいいた。一人は例の男だから仕方ないとして、他の三人から連絡が途絶えているのはどういうことか。

理由は簡単だ。今までご飯の終わり頃、私は酔ったふりをして、ちょっとかわいく言った（おい、おい、ちょっとオ）。

「じゃ、次に会う日、決めましょ。さ、手帳を出して。来月、私の空いてる日はねぇ……、えーと……」

これを一回パスしたら、あれ、ま、もうデートは続かないではないの。向こうからもメールがぱったりやんだ。別にヒトヅマの私から、

「ご飯食べましょ。日にちを決めて」

と言うこともないと強気に出ていたら、彼らとはそれっきりになってしまったのね。あーあ、ちょっとモテてると思ってたのはなんという錯覚だったんだろうか。

もういい。セイヨクなんてとうに消え、食欲もコントロールしている今、物欲だけが私をらしくしている唯一のものなのよ。物欲を肥大させて何が悪い。お腹も肥大してるし。

そんなわけで私は、シャネルのジャケットを買います。お金はないけど買います。ホントに買うわ。じゃ、早く買ったらヒトは言うであろうが、このところますます太った私。サイズ

がひとつ大きくなっているどころか、店に合うものがあるかもわからない。デイトをやめたとたん太り出した。誰かこのデブ連鎖を断ち切って。誰か私にメールを頂戴。

シャネルに遠吠え⁉

ずうっと「シャネルのジャケットを買う、買う」と言っておきながら、ぐずぐずしていた私。それで二回もエッセイのネタにしていたとはあまりにもセコい。

とはいうものの、シャネルのジャケットはやはりいい値段だ。昔だったら、えい、と買ったかもしれないが、最近の私はかなり慎重になってしまう。ややビンボーになっていたところに加え、かなりお肉が増えている私。

どうしようかとためらっていたのであるが、このエッセイで「絶対に買う」と宣言してしまった。物書きというのは、自分の書いたことのオトシマエに、お金を遣わなきゃならないことがいっぱいある。とほほ……。

そんなわけで表参道の「シャネル」へ行った。憶えていない人ばかりだと思うのであえて言うが、ここは二年前に飛び込んでいって、イヴニングドレスを買ったところだ。

その年のクリスマス、六本木男声合唱団のディナーショーで、恒例のオペラのアリアを歌うことになった。前年のイヴニング（海外で買ったシャネル）でもいいかなあと思ったのであるが、お客さんは毎年いらっしゃる方ばかりだ。歌がヘタな上に、毎年同じドレスを着ていたらあまりにも失礼ではないか……。と、タクシーの中であれこれ考えているうち、表参道のシャネルに近づいた。運転手さんに思わず「停めて」と叫んでいた私。そしてパッと行って、わずか十五分でドレスと靴を選んだわけ。あの時はよかったなあ。パッとドレスを選べるサイズだったわけだ。

さて二年後の今日シャネルの二階へ行き、ほれ、今年いろんな雑誌に出ていた白黒の千鳥格子のジャケットを選んだ。が、店員さんはサイズを聞かない。

「今、サイズをお持ちしますね」

む、微妙な言葉ですね。これは二つに解釈出来る。

①以前いらして、買物してくれたでしょう。だからサイズはしっかり憶えてますよ。

②あなたの体型見て、サイズはひと目でわかりましたよ。

たぶん②ではないだろうか。たった二回しか買ったことがない、私のサイズなんか憶えているはずはない。

そして店員さんが持ってきてくれたジャケットを見たら、やっぱり二年前よりワンサイズ大きくなっている。しかももっと悲しかったのは、この憧れのジャケットに手をとおしてみたも

の の、全く似合わない！　すっごく太って見える。

「それは中に横ジマを着てるからですよ。黒のニットを着てみてください」

お店のニットを持ってきてくれたのであるが、なんと十六万円。うちにあるもので間に合わせよう。それにしても、この大きい千鳥格子は痩せた人のものだ。小さい格子にしなければ。

そんなわけで買いましたよ、シャネルのジャケット。支払いをする間に、別の店員さんがやってきた。

「ハヤシさん、このあいだお買上げくださったドレス、いかがでしたか」

あら、憶えていてくれたのね。やっぱりドレスを十五分で買った人というのは珍しいんだわ。思えばあのオーガンジーのイヴニングドレスも、あの時たった一回しか着ていない。こんなことをしているから、お金が貯まらないはずだ。

　しかしそれにしても、お肉のつき方とおしゃれをする心というのは、見事に反比例する。デブになってくると、すさまじい早さで、しゃれっ気がなくなってくる。何を着ても似合わないからやる気が出ない。頭の中でコーディネイトを考え、いざ着用しようとすると、パンツのファスナーが上がらない、ニットがピチピチという事態に、あえなく計画は中止となる……というわけだ。シャネルの買物は、ゆるむ自分に喝！　を入れるためであった。

　さて数日後、講談社エッセイ大賞の授賞式に出席した。シャネルジャケは着ていかない。だって下にはくはずだった黒のパンツがきついんだもん。今回の受賞者は酒井順子さん。もちろんベストセラーになった『負け犬の遠吠え』での受賞だ。昔からよく知っている酒井さんが受賞されて、選考委員の私としてもとても嬉しい。

酒井さんは素敵なワンピースをお召しだ。

「ま、プラダね」

「さすがハヤシさん。ひと目でわかるんですね」

そおなの。これも試着で諦めた一着よ。酒井さんはこのワンピースを素敵に着て、髪もキマッてる。これにメッシュのシームレスストッキングをはき、もちろんピンヒール。表彰されるために立ち上がると、線の入った綺麗な脚が目立つ。

私の隣りに座っていた井上ひさし先生も、

「最近はああいう線の入った靴下が流行ってるんですか。色っぽいですなあ……」

と感心していらした。

今まで女の物書きはファッションセンスがイマイチだった。興味がないか、私みたいに頑張っても成果がちょっと……という人ばっかり。たまにうんとおしゃれでいろいろ詳しい人もいるが、本業の方が〝自称〟のレベル。が、酒井さんのようにおしゃれも本業も高レベルという人がやっと出てきたのねと感慨深い。いや、待て。このまま中年のオバさんになって、感心するだけなのか。喝、マリコ！　明日シャネルのスカートを買いなさい。

マウイの夜

あくまでも噂であるが、パリの某ホテルのエステに勤めるエステティシャンたちは、みーんなレズビアンだそうだ。

そういえば、ちょっとヘンだなあ、と思うことが何度かあった……。

さて、世界のいろんなところでエステを試している私であるが、今回はハワイでスパとエステ。ホノルルは何度も行っても、マウイ島へ行くのは初めてだ。向こうで講演といおうか、ちょっとしたスピーチを頼まれたのである。たった三泊しか出来ないが、久しぶりのハワイは嬉しい。

夜はパーティがあり、そこにも出席してくださいとのことだ。ここで私の苦悩の日々が始まった。といってもたった一日のことであるが。つまり、どのドレスも入らないのだ……。

つい先日、久しぶりに実家へ帰ったら、

「わー、マリコ、太ったねぇ」

とイトコたちに言われた。自分でもそう思う。しかし怖くて、ここのところずうっと体重計にのっていない。いいかげんに真実を知らなくてはいけないと思うものの、体重計の針を見た後の落ち込みは、充分予想出来る。

だから体重計にのらない……。気になりながら食べる……。つまりデブへの道を一直線に進んでいたわけだ。

そんななか迎える、ハワイでのパーティ。ロングドレスでもカクテルドレスでもいいというので、私はためしに、四年前にアルマーニで買ったドレスに手を通した。すごく高かった。まだ値札がついたままだからすぐにわかるの。グレイのプリーツのスリップドレス。着た。プリーツが横に拡がって、提灯みたいになった。スリップドレスだから、胸のお肉がはみ出しそう。それより何より、ファスナーが全く上がらないのだ。

「どうしてこんなドレスを買ったのだろう」

私自身にもわからない。

あと着られそうなドレスといえば、ダナ・キャランのものぐらいであろうか。これはラメのTシャツとロングスカートの組み合わせだから、体型を誤魔化せるのだ。

そんなわけで、このパーティドレスを持ち、ハワイへ行ってまいりました。

講演も無事に終わり、夜のパーティまで四時間もある。それならば、ということでさっそくエステの予約をする。このホテルは、エステで有名なのだ。メインランドや日本からたくさんの観光客がやってきて、みんなエステやスパに行くらしい。地下へ降りていくと、イタリアの邸をイメージしたらしい豪華なつくりになっていた。ここでガウンに着替え、エステティシャンが来るのを待つ。

その前にスパに入ってもいいらしいのだが、ローマ風呂のようなスパは、待ち合い室の隣りにあって、みんなから丸見えではないか。白人の女性がすっぱだかで入っていて、目のやり場に困る。私は思うのだが、白人の女の人って、わりと裸になるのが平気ですね。シャワー室のようなところも、前を隠さずどんどん歩く。私はヤマトナデシコなので、とてもじゃないが、こんなところですっぱだかにはなれません。

さてエステティシャンが呼びに来て個室へ。フェイシャルが五十分のコースだから、飛行機の疲れでうとうとしてると、あっという間に終わった。そして次はボディのコース。こちらも五十分で終わる。言っちゃナンだけど、日本のエステの方がずっと丁寧でうまい。これで五百五十ドル（二つで）っていうのは高いと思うわ。

そして髪とメイクをキメて、いざパーティ会場へ。私はびっくりした。日本人ばかりのパーティなのに、みんなすごくおしゃれしているのだ。イヴニングドレスがほとんどだったが、みんな名のあるブランドだとひと目でわかる。また日本のパーティだと、ドレスはまあまあでも、靴まで気とお金がいかない女性がとても多い。時々、披露宴に招ばれると、ドレスアップしている裾から、通勤用の黒革のパンプスがのぞいたりしている。

ところがそのパーティに出席している人は、みーんなそれ用のサンダルやミュールを履いている。バッグもちゃんとパーティ用のものだ。

そして私はといえば、ここで悲劇が生じた。ヴァレンティノのサンダルを持ってきていたのであるが、足がむくんでちゃんと入らない。足の甲をお花がおおう、それはきゃしゃで美しいサンダルであるが、体が太ったため、足に肉がついてきつい、なんてものじゃない。仕方なく、ハワイで買ったビーチサンダルを履き、パーティ用サンダルは手に持った。主催者の人に頼み、パーティ会場にはバックヤードから入れてもらったのである。調理の人がいきかうホテルの舞台裏を、ペタペタ歩く私。パーティが終わり、またビーチサンダルを履いて部屋に帰ろうとした。そこへ何人かが寄ってきた。

「ハヤシさん、一緒に写真撮ってくださいよ」

はい、はい。でも履きかえるのも何だし、ビーチサンダルのまま撮られましたよ。あーあ、私の名声は地に堕ちたわ……。

ところで五十分だったがエステは案外効いた。あちらでたっぷり眠ったこともあり、私のお肌はいまピッカピカ。頬が丸くふくらんでてかってます。女金太郎みたい。

新しい恋のために

二〇〇四年十二月、「開運ツアー」の時のことだ。人気絶頂のスピリチュアル・カウンセラー、江原啓之さんをツアコンにして、アンアンのホリキ編集長、ホシノ青年、私、私の幼なじみのサナエちゃんが、出雲の神社へと出かけたのである。

江原さんに言わせると、日本の霊力のある神社は出雲大社だという。ここにお参りすれば、来年はいいことが起きるというのだった。出雲大社ではとてもよくしていただき、みなで奥の方まで行き柏手を打った。その日は出雲に一泊し、次の日、江原さんお勧めのとある小さな神社へ。ここは絶対に秘密にしてほしいということであるが、ここもうんと霊力が強く、いろんな邪気をはらうのだそうだ。

そこまでいろいろしたのであるが、今年の私の運は、いまひとつだったかもしれない。連載はやたら増えて忙しかったのだが、本は二冊しか出さず、そのどっちも売れなかった。そのう

え大きな痛手は、例のプチ失恋ですね。二年近く仲よくしていた男性が、ギョーカイのつまんない女と長年にわたり、そーゆー関係だったという驚きとショック。

「あんな女とつき合う男なんてサイテー」

と、さんざん毒づいたメールを送ってそれきりである。

このあいだ江原さんを交え、ホリキさんやホシノ青年とご飯を食べた。江原さんに私は抗議する。

「絶対にうまくいくっておっしゃってた、あの男の人のことですが、ぜんぜんダメでしたよ。他のつまんない女のものでした」

江原さんは言った。

「ハヤシさん、このあいだみんなで旅行した時、せっかく彼といいムードだったのに、部屋へ行かなかったでしょう。あれが敗因ですよ」

「誘われてもいないのに、ヒトヅマの私が行けるわけないでしょう」

「でも行かなきゃいけなかったんです」

そんなやりとりがあった後、江原さんは断言した。

「来年はハヤシさんにとって、すごくいい年になります。運命の男がふたり現れて、ひとりはフランス人です」

おお、トレビアン。中村江里子さんのようになれるのかしら。

「二人はお城で出会います。とても素敵なお城で、二人仲よく語らっている姿が見えます」

友だちにこの話を言いふらしたら、

「じゃ、フランス語を勉強しなくっちゃね。忙しいわね」

とバカにされた。

私はあるファッション誌のパリ支局長のことを思い出す。昔パリで会ったその人は、日本で勤めていた頃、若いながら某有名ファッション誌（アンアンではない）編集長をしていた。美人の三十代編集長として話題になったそうだ。そこへフランス人の男性が現れ、たちまち恋におちた。けれども彼女は、フランス語はボンジュールぐらいしか知らなかったそうだ。

「それなら、恋の語らいはどうしてたんですか」

「彼が記号と絵で、ラブレターをいっぱい書いてくれたんです。ハートに矢がささってたわ。今、それはわが家の宝物になっているんです」

二人は結婚し、彼女はパリで家庭を持った。いい話だなあ、私もそんな風になるのかしら。思えばフランス人と結婚し、ハーフの子どもを産むのは私の夢だったわ。子どもはもう無理としても、ダンナを取り替えっこするのは可能かもね……。ふ、ふふ……。明るい年になりそうだわ。

「そうだ、また来年もみんなで開運ツアーに行きましょうよ」

ホリキさんが言って、さっそく日程が決まり、今度は九州に行くことになった。

そういえばおととし、「開運ツアー」の前は、ホリキさん、江原さん、ファッションディレクターの坂巻さんと「香港物欲ツアー」に行ったわ。あの時買ったサンローランのスカートも、ジル・サンダーのコートも、シャネルのスーツも、デブになって着られなくなった。重宝しているのは、色違いで買ったニットぐらいかも。

ホテルアーケードの中にある、宝石店の前を通り過ぎようとした時だ。江原さんが「おっ」と言って足を止めた。ウインドウに見事な水晶のネックレスがあったのだ。

「ハヤシさん、これは買った方がいいですよ」

江原さんは深く頷いた。

「すごいパワーがあります。そもそも水晶は霊力があるけど、これは特に強い。素晴らしいものです」

デイトの時につけていったら、効力あらたかだという。水晶だからそう高いものではなく、私はさっそく買ったのであるが、デイトの時にはつけていかなかった。なぜなら水晶のネックレスが似合う服というのは、限られると思いません⁉　そんなわけであの男性ともうまくいかなかったのかもしれない……。

が、新しい恋のために、ダイエットを始めた私。炭水化物、お酒、デザートを断ち、ジムを必死でやる。おかげで一週間で一・五キロ痩せた。もうちょっとしたら、フランス人の彼と会っても大丈夫かも。その時は絶対、水晶つけてくわ。おお、トレビアン。

お金持ちの家

お金持ちの家を見るのが好きですか。

私は大好き。でもよくテレビでやる「豪邸訪問」というのはちょっと……。本当にセンスがあってお金持ちの家というのは、絶対にマスコミに出てこない。

私は時々、そういうおうちへ招ばれることがある。都心の一等地でプールつき、まるで外国のホテルのような内装、お料理が盛られるお皿、リネン類まで、選びに選び抜いていてそりゃ素敵なの。中には有名人のおうちも何軒かあり、ぜひ皆さんにご報告したいところであるが、帰りに必ずクギをさされる。

「ハヤシさん、今日のこと、絶対にエッセイに書かないでよ」

そんなわけで、皆さんが知りたいであろう、○○さんの家、××さんの家のことに触れることが出来ないのはまことに残念だ。

さてある日のこと、パーティで私の席の隣りに座った男性がいた。その人は一代で大金持ちになった人だ。まだ若い。「イタリアン・カサ・ヴォーグ」を手にしていて、それを見せてくれた。

「これが僕のうちです。六ページの特集になってるんですよ」

「まあ素敵」

一面がガラスで、そこから見えるのはただ緑だけ。なんでも都内の渓谷の中につくったという。広くてセンスのいいおうちだ。

「建築家のエドワード鈴木さんにお願いしたんです」

「あら、エドね」

エドワード鈴木さんは、ハーフで超ハンサム。まるで映画スターみたいな容貌を持っているうえに、本職の方もハーバード大出の売れっ子だ。バブルの頃、エドワードさんに家を頼むのが、セレブの間で流行していた。みんな彼のことを「エドが」「エドは」と親しげに話していて、それが東京に住むスタイリッシュな人の証であった。二回しか会ったことのない私であるが、この場合は「エド」とミエを張ることにしよう。

「ハヤシさん、エドワードさんとも親しいんだったら、ぜひ来月、うちのホームパーティにいらしてください。彼も来ますよ」

「ご馳走は出るんでしょうねッ」

「一流レストランのシェフを招んであります」

このことをアンアン編集長のホリキさんや、担当のホシノ青年に話したところ、そんな豪邸をぜひ見てみたいという。そんなわけで、よく晴れた休日、三人でとある私鉄の駅で降りた。このおたくは、緑が多い谷の方に向いてつくられているので、エントランスはこぢんまりとしている。しかし、

「ひぇー、この車の列、すごい！」

私たちは大声を上げた。ベンツはもちろん、ジャガー、ベントレーなんかが駐車場にぎっしり並んでいる。

中に入るとまだ若いお客さんばかりだ。今日は三十代、四十代の億万長者が集うパーティらしい。

それにしてもこの家の素晴らしいこと。一面のガラス窓からは谷の緑しか見えないから、まるで避暑地の一軒家みたいだ。全部緑に面したコの字型の家で、中にジャグジー、プール、トレーニングルームがある。応接間は広々としていてグランドピアノが。ちょっとしたコンサートも出来そうだ。お風呂場は総ヒノキづくりで温泉みたい。ここも窓から見えるのは緑だけである。

パーティに出されたシャンパンはすべてドン・ペリで、イタリアンのお料理は、ガラスの細長い板の上に、まるでお花みたいに置かれていた。

ここのオーナーは、化粧品の販売で成功し、この富を築き上げたのだ。世界で一番売るというからすごい。

「なんて素敵なおうちなの」

「私たちも、もっとお金儲けする方法を考えようよ」

帰りのタクシーの中、皆で盛り上がった。

「今さらあのグループに入れてください、なんて言えないから、自分たちで化粧品を開発するのはどうかなあ」

「そう、そう、江原啓之さんものってたよね。みんなで会社をやろうって」

「だから私は言ったじゃん。スピリチュアル・コスメっていうの。あなたの魂から美しくします、っていうやつ」

「そう、そう、それ売れそう」

「私、君島十和子さんと仲よしだから、それを使ってもらってコメントをもらうのどう?」

「そうしたら絶対に売れるよね」

おおいに盛り上がったのであるが、タクシーを降りたらそれっきり。みんな大金持ちのパワーにあてられ、異様に興奮していたのである。

そして家に帰ったら、うちって本当につまんないふつうの家だと思いましたね。建った当時はパティオのある豪邸なんて書かれたけど、どこが豪邸じゃ。ネコがあちこちひっかいてボロボロ、だらしない私のせいで、棚の上はすべてふさがっている。モノが積み重なっている。とにかく汚く、まとまりのない家だ。

あー、二軒めの家を建てたい。今度こそ、本当にカッコいい家を建てたい。が、こんなセコい物書き稼業じゃとても無理。私を誰かＩＴ長者に紹介しておくれ。

ヒトヅマと人の恋

久しぶりにあくらちゃんに会った。

ミュージカル「コーラスライン」を一緒に観に行ったのである。

日本人のダンスシーンもここまで来たか……もうブロードウェイにも負けないんじゃないか、というすっごい踊りが続く。

「あーあ、私も踊りたくなっちゃったなあ」

とあくらはため息をつく。宝塚をやめて、体がうずうずし出したらしい。

帰りに何か食べていこう、ということになり、二人で焼肉屋さんへ入る。

「ビールをください。それから赤のグラスワインを」

とたて続けに飲むあくら。私はやーな気分になる。私はここんとこ体重増加の恐怖から逃れようと、ずーっとウーロン茶だ。このあいだ対談の撮影があった時、用意してくれた服がまる

っきり入らず、

「ハヤシさん、心を入れ替えてください」

と、スタイリストのマサエちゃんから叱られたばかりなのだ。それなのに私より、体重が二十キロは少なさそうなあくらが、焼肉をパクパク、ビールをぐいぐい飲むのはどうしたことなんだろうか。

それにしても相変わらず、超美少女のあくらであった。焼肉屋の薄暗い照明の下、あくらの顔が浮かび上がる。真白い肌にピンク色の頬、大きな目……。少女漫画というよりも、絵本に出てくる白雪姫みたいだ。

こんなに可愛いのに、男の人にはあまりついていない、っていうから嬉しいではないか。今、ボーイフレンドもいないという。

「私、すぐに結婚したい、っていうわけでもないし。今はすっごくお仕事したいの。そういう気持ちが男の人にも通じるのかしら。だからあんまり寄ってこないの」

なんてことを言ってるけど、手元の携帯、ピーピー鳴ってるよ。

「ハウ、アー、ユー、ドゥーイング？」

あくらは子どもの頃から習ってるので、すごく綺麗な発音だ。英語でしばらく喋っている。

「台湾人の友だちなんだけど、お芝居が終わったら電話してくれって言われてたの忘れてた」

なんでもアメリカの名門大学を出た、外資に勤める超エリートだそうだ。東京に転勤してきた時に知り合った。来年の四月まで東京にいるはずだったのに、本社から突然の辞令が来て、あさってサンフランシスコに帰るんだと。そしてどうしても今夜中に会ってくれと言っているそうだ。

「そりゃ、彼は告白したいに決まってるじゃないのッ」

私は叫んだ。ヒトヅマながら、私はこういうドラマティックなことが大好き。あくらの運命が大きく変わるかもしれないんだわ。

「呼びなさい、呼びなさい。今すぐここに」

「でもただの友だちですよ」

「友だちなんていつでも恋人に変わるのよッ」

だけどどこの男がなかなか来ないんだな。おめかししているのか、タクシーに乗ったらするという電話がなかなかかかってこない。私はいらいらしてきた。もう夜の十一時だわ。私、このところ年末進行でほとんど眠っていない。すぐに書かなきゃならない原稿もあるのにさ……。

「マリコさん、どうか帰ってください。私、ひとりで待ってますから。彼もすぐに来るはずだし」

「女の子をひとり、焼肉屋に置いてけるわけないでしょ」

そうだよなぁ、あくらみたいな美人がひとり、ビール飲みながらカルビ焼いてたら、たいていの人はギョッとするよな。

そんなやりとりがあって、台湾人のチャン君だかヨン君だかが登場。あくらはすっごいハンサムよ、と言ったけれど、タイガー・ウッズにそっくり。私は勘定を済ませ、握手だけして帰った。

その際、

「アイル、プレゼント、ユー、ザ、ビッグ、チャンス（あなたにビッグチャンスをあげましょう）」

と言うのを忘れなかった。彼は意味がわかったらしく「オォ！」と握りこぶしをつくる。

「じゃ、グッドラックね」

と言い残し、西麻布の街に出ていく私。

この話を次の日、ハタケヤマにしたら、

「ハヤシさん、睡眠不足でヨレヨレしてるはずなのに、どうしてそんなにつまんないこと言える元気があるんですか」

と呆れられた。

ところで昨夜、ちょっとした会食があり、渡辺淳一先生とご飯を食べた。その時、ある女性作家のことに話題がいった。

「あの人ももっと伸びるかと思ったのに……。今はあんまり書いてないですね、恋愛にかまけて忙しいのかな」

と編集者が言った時、渡辺先生はいみじくもおっしゃった。

「女の作家は、やり盛りの時には書かないもんだよ。ひととおり終わって反すうしてから書いてくから」

私はドキッとしましたね。連載をいっぱいかかえ、やたら恋愛小説を書いてる私。そう、人の恋を見守るおばさんになっていたのね。悲しい……。

幸福癖と不幸癖

めっきり寒くなりましたね。

冬になると楽しいスケジュールが目白押し。

今日は、友だちから電話があった。

「タイユバン・ロブションがリニューアルして、もっと豪華においしくなったわよ。Aさんがひとテーブルつくるから、マリコさんも誘ってくれって……」

Aさんというのは、私がかねてより憧れているハンサムな方だ。あの方とフレンチを食べられるなんて……。絶対に痩せようと決心する私である。

ところでこのあいだ、テレビのチャンネルをつけたら、FNS歌謡祭に小柳ルミ子さんが出て、歌っていらした。

「なんだかますます痩せたみたい」

と思ったら、なんと明菜ちゃんではないか。しかし頬のそげ方といい、アイメイクといい、ルミ子さんにそっくり。おまけに口紅が、リップラインを濃い色で描いて、中を薄く塗りつぶすという、なんちゅうか「鰐淵晴子式」（古いな）、あるいは「岸恵子式」（これも古いか）。これは妖艶に見える代わりに、とても老けて見える。鰐淵さんや岸さんのような、それなりにお年を召して貫禄ある美女なら似合うが、明菜のような年齢には似合わない。

おまけに黒いコートドレスもすごくヘン。魔女みたいだった。そんなことよりも、肝心の歌があんまりじゃないの。傍でビールを飲んでいた、芸能界に全く関心を示さない夫でさえ、

「この人、声が全然出てないね」

と呆れていたぐらいだ。

私はこのあいだドラマに出て、ものすごい視聴率を稼ぎ出した聖子のことを思い出した。ナンダカンダあった聖子ちゃんであるが、このところ、ものすごいパワーで人生を盛り返している。あのドラマで、

「やっぱり聖子は大スター」

という認識を世間にもたらしたのではないだろうか。

聖子と明菜。この二人は昔からよく比べられていたけれども、今はすっかり差がついてしまった感じだ。聖子は手にするものを手にし、さらに何かをつかもうとしている。私は聖子を見ていると「ちゃっかり」という言葉がいつも浮かんでくる。恋人と別れて大泣きした直後に、

別の男性と結婚するし、離婚したと思うと、すぐに別の男性を見つける。アメリカ進出は失敗しても、国内でじっくり策を練る。

どんなスキャンダルが起こっても、

「あら、そんなことありましたっけ」

と涼しい顔でやり過ごし、その間ちゃんと娘を産んで大きくしているのだ。

熱狂的なファンは別にして、ふつうの女性というのは、この聖子の「ちゃっかり力」に、圧倒され、軽い反発をおぼえたものだ。

が、それも過去のこと。今、ほとんどの女性は、

「聖子、やるじゃん」

と認めているに違いない。

さて、好き嫌いがはっきりしていた聖子に比べ女の人からあんまり嫌われなかったのが明菜だ。女って、みんな明菜のことが好きだったよな。ぼんやりとだけど。

だって嫌われるはずないではないか。あんなに才能があって美人の女が、損ばっかりしているのだ。どんな男の人だって自分のものに出来るはずなのに、一人の男に固執し、揚句の果ては裏切られて、長いこと立ち上がれなかったりする。

「やっぱりさ、いくらスターでお金持ちでも、好きな男に愛されなきゃね」

などと、したり顔で言った女が、あの頃何人いただろうか。

聖子が嫌われたのは、幸せそうだったからである。不幸な女は、誰からも嫉《ねた》まれない、嫌われない。だけどそんな人生、つまらないじゃないか。

私は聖子も好きだったが、明菜のこともずっと応援していた。

「ガンバレ、ガンバレ。いくらでも新規蒔《ま》き直し、っていうのは出来るんだからね。あなたぐらい才能と魅力があれば、幸せそうなスターになれるのよ」

しかしどうだろう、久しぶりに見た明菜はいっそう不幸そうになってるじゃないの。

幸福というのも癖であるが、不幸というのも癖である。聖子はすべてにおいて、幸福癖があったと思う。ものごとをそう深く考えず、「次があるから」と切り替える能力、これはとても大切なことだ。もちろんあれだけの歌手だから、傷つきやすく繊細なんだろうが、どうでもいいことは、うまく切り抜けてきたに違いない。

「結局、不幸癖のついた女って、なかなか立ち直れないわよね」

とホシノ青年に言ったところ、彼も精神科の先生や笑顔の先生のところへ取材に行き、同じようなことを教えられたとか。

「まず笑うことだそうです。こんな風にワリバシを歯ではさんで、唇の両側で笑う……」

「どれどれ」

混んでいる定食屋で、二人してワリバシをはさんで微笑み合う。かなり不気味な光景だったことであろう。

高めの女修業

パーティは楽し

表参道にまた新しいファッションビルが出来、オープニングとディナーパーティに招待された。

めったにこういうところには近づかない私であるが、このブランドの日本代表が仲よしなので出かけることにする。それにたまにはこういうところへ足を向けないと、ババっちくなるばかりだ。とりあえず着るものがない。ここのところリバウンド気味で、以前のドレスがまるっきり入らなくなったのだ。

ラメのもんでも買おうかしら。考えてみるとラメというのは便利ものだ。夜の服にはうってつけだし、インナーに着れば昼にも着られる。が、気をつけなければならないのは、ヒョウ柄と同じで、ヘタをすると「関西のおばちゃん」になることであろう。ラメの安物を面積大きく着るというのは、絶対に避けなくてはならない。ラメのうんとデザインの可愛いのが欲しい。

そうなったら、やっぱりダナ・キャランかしら。私は表参道のファッションビルに向かい、黒ラメのノースリーブタートルネックを選んだ。これはボトム次第でどうにでもなる。シンプルな形だけどとても可愛い。が、私の腕が可愛くない。このあいだまでノースリーブOKだったのに、今は太ってたっぷりお肉がついてる。ジムでつけた筋肉もあるから始末に悪い。たっぷんたっぷんと、筋肉りゅうりゅうの中間のような腕になっているのだ。

私は仕方なく、共のストールを買うことにした。二の腕を隠すためである。これがすごく高く、スカートを買うことを断念した。スカートなら、フォーマル系のものがうちにいっぱいあるから、それを組み合わせよう。

そして私はクローゼットで、昔のダナのスカートを発見！　一度も着てないやつ。三枚重ねてはくやつで、いちばん上は黒のサテンだ。フルレングスより短いので、おおげさにしたくない時にいいかもね。

さて、その夜はとても寒く、ジル・サンダーのミンクのコートを着る。パーティでみんなに誉められた。もちろんコートをだ。

「サテンのリボンがついてて可愛い」

「これならカジュアルに着られるね」

ミンクを誉められたから、お店の五階のディナーを食べるところで、コートを脱ぐのはつらかったの。なぜなら、ずうっとショールで二の腕隠さなくっちゃいけないんだもの。

パーティにはユーミンも来ていた。スターだけに許される、カジュアルな服装だわ。それがとってもカッコいい。デニムのパンツスーツにお揃いの帽子、しかし胸元にはダイヤのネックレスというのが、いかにもユーミン風フォーマルである。

彼女は私の二の腕を見ると、

「わー、おいしそう」

とガリリと噛む真似をした。

しかしそれにしても、久しぶりにパーティにくると楽しいな。いろんな有名人にも会えるし、いろんな人にも会える。みんなでワイン飲みながらキャッキャやってると、つらい年末進行のことも忘れそう。

そして帰りぎわ、小雪さんと会った。黒いドレスを着て、信じられないような美しさ。彼女とは某女性誌の創刊前の仕事でご一緒したことがある。彼女が雑誌のキャラクターになり、テレビCMやポスターに出ていたのであるが、この私もにぎやかしとしてテレビCMとポスターに登場。撮影現場でもお会いした。

パーティの次の日、某ファッション誌の編集長と電話で話している最中、小雪さんのことになった。

「今、売れに売れてますよね」

「昨夜も間近で見たけど綺麗だったわ～～。本当に綺麗よね」

「彼女を何度も撮ってるカメラマンが、撮影するたびに言ってますよ。本当に綺麗だって、みんな感動して帰ってきますよ」

その気持ちわかるなあ。テレビのCMで見るたびに吸い込まれそうな気持ちになるもんな。小雪さんによって〝ニュー・ジャパネスク〟なるものが出来上がった。

今まで目がぱっちり一辺倒だった美意識が、日本的なものに人気が集まる、といった現象は今までにもあったけれども、小雪さんの場合はそれとも違う。日本的なうりざね顔の下は、バツグンのプロポーションということである。欧米人以上の手足の長さがあってあの顔、というアンバランスがいいですね～～。

何といってもあの目。切れ長、という表現がぴったりの目。

「二〇〇四年、日本は涼やかな美女に向かっていったのよね」

と、私は断言した。

しつこいようだが、パーティに行くと、本当にいいことがいろいろある。

この私でさえ、ちやほやされたのだ。若い頃、仲よかったファッションエディターの人や編集者の人が寄ってきて、

「ハヤシさんって、肌がピカピカ」

「昔よりずっと若くてキレイになったわ……」

なんて言ってくれる。お世辞とわかっていても、私はすっかり舞い上がり、お肌の血中オー

ラがぐっと上がったみたい。あれ以来、心根が変わった。本当だもん。美人がパーティに行く理由、わかったよ。

魅惑のLコーナー

ある時一通のファンレターが届いた。

「ハヤシさんはよく、自分のことを太っているとか、デブとか書いていますが、写真を見ていると、どうしてそんなことを言うのか全くわかりません」

なんていい人！　なんて嬉しいお手紙！　しかし手紙の消印を見ると、半年も前ではないか。編集部がファンレターをまとめて届けてくれるので、こういう古いのが届く。

半年前というと、私がまだ小デブだった頃ですね。その後私は、右肩上がりにどんどん体重を増やし続けた。洋服は入らなくなり、ワンサイズ上げる、という屈辱的なことが起こった。

しかし昨年の暮れ、さすがの私も心を入れ替える日がやってきたのである。

お店に迷惑がかかるといけないので、表参道のある海外ブランド店としておこう。ここに今まで行ったことはなかったのだが、ファッション雑誌に出ていたスーツが可愛くて、買いに出かけたのである。

が、案の定、お店には私のサイズはなく、別の店から取り寄せてくれることになった。そして一週間後、届いたというので行ってみたところ試着してがっかり。流行のツイードが裏目に出て、全体的にごわごわして見える。

「いりません」

って言いたいんだけど、せっかく取り寄せてもらってそれは出来ないわ。そう、私はもう何度も失敗してる。

「お取り寄せに成功なし」

とりあえず、それはいただくことにし、ふとラックを見る私。そこに私好みの、私サイズのジャケットがかかってるではないか。ウエストシェイプで丸衿の、ちょっと50'sの感じが素敵。値段を見た。おーっと声が出る。一枚仕立てのジャケットには不似合いの値段である。

着てみた。ラインがすごく綺麗。が、下のボタンがピチピチで大きな隙間をつくり、そこからババシャツがのぞいてる。でも頑張れば、ここのお肉、なんとかなるかもしれないわ。そう思い私は、このジャケットを買うことに決めた。それにしても、スーツとこのジャケットを買うと、かなりの金額だ。今年はスーツだけで買いおさめにし、ジャケットは来年買うことにしよう。

私は店員さんに聞いた。

「来年はいつからですか」

私は何日から営業が始まるのか聞いたのだが、思わぬ返事が返ってきた。

「クリアランスの日にちですか？」

「え、クリアランスなんかあるの！」

こんな高級店にはないと思ってた。

「ええ、六日からクリアランスセールがございます」

「じゃ、このジャケットも安くなるの」

「ええ、四割引きになります」

ああ、素晴らしい。が、私、お正月はずうっと故郷の山梨に帰っていて、六日からのクリアランスに行けないわ。

「じゃ、このジャケット、お取り置きしておきますよ」

「ええ!?　そんなこと出来るの」

「はい、十日までに来てくださるならとっておきます」

ということで、私はそのジャケットのために、絶対に正月太りはやめようと決心した。そしてお餅はひと口も食べなかった。大好物の栗きんとんもちょびっとだけでやめた。お酒は元旦にシャンパンをちょっぴり飲んだだけ。まだコワイから体重計にのってはないけど、顎の線がいくらかシャープになったみたい。

ところで、山梨の私の一族は太ってるのが多い。遺伝によるものも大きいが、みんな食べるのが大好きな連中なのだ。

親戚のA子と甲府のデパートへ買物に行った。A子はかなりぽっちゃりとした体型だ。途中、別々に用を済ませ、また会うことにした。私のケイタイが鳴る。

「マリコネエちゃん、洋服を選んでるからちょっと見て。3Fの婦人服売場にいるわ」

彼女は流行の型のハーフコートを選んでいた。黒のソニア・リキエルだ。正直言って私は、

「よくサイズがあるなァ……この店」

とちょっと感心した。が、なんかヘンだ。ソニア・リキエルの店のはずなのになんか品物が少ない。そしてやたら大きい。私は信じられないぐらいビッグなジーンズを発見。ファスナーが上がらなくなり、もう四ヶ月ジーンズをはいていない私。しかしこのジーンズなら、私のウエストでも大丈夫そう。

「だってここは、大きなサイズコーナーなの」

とA子。驚いたの何のって。こんなところに足を踏み入れたのは二十年ぶりである。学生時代は愛用させてもらったけど、その後は外国ものを着たり、ダイエットに励んだから、いつしか私の心から「L判コーナー」というのはすっかり消えていたわ……。

ジーンズを試着する。口惜しいけどぴったり。あんなに苦労してサイズを探したり、ファスナー上げたり、上もので隠さなくてもよかったのね……。ここに来さえすれば、余裕たっぷり

のパンツもあるのね。目からウロコだわ。ここに来ればすべて解決なのよ。が、ちょっと違うような気がする。ここにもう二度と来ちゃダメ！　私の内なる声がした……。

年齢は関係ありません

今、午前九時四十五分。この原稿を、表参道の「アンデルセン」で書いている私。朝の青山通りは、車の流れもゆったりとしていて、それを見ながら、アンデルセンブレックファーストをいただくの。ご存知のとおり、「アンデルセン」は、パン屋さんだから、ここはメニューを何か頼むとパンが食べ放題。ウェイトレスの人が、カゴにどっさりと何種類かのパンを持って、まわってきてくれる。

「お好きなのをどうぞ」

つい欲をかいて、四つも五つも食べる私。昨夜はフグをご馳走になり、最後の雑炊を二杯もおかわりした。週刊誌の対談ページでホステスをしている私は、顔の変化が刻一刻とわかる。あきらかに昨年よりも丸くなっている。ホントに何とかしようと思っている私に、秘書のハタケヤマが言う。

「春になってからでいいんじゃないですか。ハヤシさん、痩せるとカゼひきやすくなるし」

「そうね……」

なんて言ってるうちに、街は春の気配。が、コートを脱ぐのが怖いワ……。

ま、今日もこれからパーソナルトレーニングの予約をしてるし、そんなにひどいデブになることもないはずと、またまたパンに齧《かじ》りつく私である。

そう、そう、昨日仲のいい友だちと電話で話していたら、ある女性のことになった。昔から美と知性を兼ね備えた人として、女性誌を中心に人気があった。今は中年も過ぎ、やや美貌にも翳《かげ》りが出てきたことは否めない。

「あのね、私の知ってる美容整形の先生が、彼女を直してあげたんだって。まれに見る成功例だって、すごく喜んでたわよ」

「へえー、〇〇さん、ついに整形したんだ」

美女でシニカルで、うんと頭がよくて、そんなことしそうもないと思ってたんだけどなあ……。昔は憧れていた私は、ちょっとショックである。そして行きつけの歯医者さんの話を彼女にした。

私は「歯のエステ」などという言葉が流行るずっと前から、歯のクリーニングへ行っていた。虫歯や歯垢のチェックの後、超音波で歯を磨いてもらう。ざっと一時間かかるが、そこへ行ったのがつい三日前のこと。

さんざん書いたから知ってる人も多いと思うが、私の顔がすごく変わったのは、歯の矯正をしてからである。まさに「劇的ｂｅｆｏｒｅ　ａｆｔｅｒ」。今まで、歯が大きく、口全体が前に出ていた私は、顔の下半身がだらしなかった。美しさの基準となる横顔の「Ｅライン」など、夢のまた夢。独身時代、私は、下半身はカタいことで有名であったが、顔の下半身はものすごくゆるかったのである。

当時大人で歯の矯正をする人などほとんどいなかったが、私はあの金具を三年間つけて頑張った。そして矯正が終わったら、顔はきゅっと小さくなり、まるっきり形が変わってきたではないか（自顔比）。フェイスラインが本当にすっきりし、三年たつ頃には、唇が薄くなってきた。

「あの時は、整形したらしいって、さんざん書かれたもんよ」

「でもさ、歯の矯正って、堂々とする美容整形みたいなもんよね」

と友人。

「ただし時間はかかるけどね」

さてその矯正であるが、このところ歯に隙間が生じてきた。何か食べると間にひっかかり、気持ち悪いったらありゃしない。

「ハヤシさん、矯正が終わって、そろそろ十年になりますよ」

歯科医は言った。

「もう一度、矯正をやりましょう」

「えー、もう一回やるのォ」

「それから、この奥歯の銀が目立つのも直して、前歯ももっと綺麗にしましょう。今、歯は日進月歩ですからね。芸能人みたいな美しい歯にすることが出来ます。ハヤシさん、いい歯医者さん、紹介します」

ちなみにこのクリニックは、クリーニングと矯正だけで、治療を行っていない。

「ちょっと時間とお金はかかりますけど、この際、徹底的に直しましょうよ」

この頃、私のまわりの若い友人たちも、かなりの確率で矯正を始めた。けれども私の場合、二度のお直しは、ちょっとつらいような気がするわ。

「もうトシだし、このままでいいかなと……」

「ハヤシさん、美しくなるのに年齢は関係ありません。頑張りましょう」

私と同い年の女医さんは、私の手を握り励ましてくれたのである。

「そんなわけで、春になったら歯の矯正を始めようと思ってるの」

私は電話で友だちに言った。

「だからさ、美容整形した○○さんのこと、あれこれ言えないわよね」

「まあ、ハヤシさんの場合は、矯正装置つけて製作過程も人に見せるわけだから、ちょっとつらいわよね」

そんなわけで、矯正を始めたら、しばらくはにっこりとした私の笑顔をお見せ出来なくなる。「劇的ｂｅｆｏｒｅ　ａｆｔｅｒ」頑張るぞ。が、歯は出来ても、どうして体が出来ぬのか。

眉が女を左右する

深夜のバラエティ番組を見ていたら、ちょっと不思議な女性が出ていた。もはや中年と思われるその女性は、人気タレントの中で浮きまくっていて、発言もちょっとヘン。わざとやっていると思われるぐらい、クイズの解答もまるであたらない。

「誰、この人。どうしてこんな人が出ているの」

よーく目を凝らしてみたら、石原真理子さんではないか。ああ驚いた。

今の若い人は知らないかもしれないが、ある程度の年齢の人には憶えがあるだろう。一世を風靡した女優さんである。美女の誉《ほまれ》高く、真黒な長い髪をたらした姿は、清楚で凛《りん》とした品があった。けれどもスキャンダルが起こった（といってもタダの恋愛事件であるが）のをきっかけに、ちょっとおかしな言動をとるようになり、〝プッツン〟という流行語は彼女が元祖といわれる。何だか理解不可能なことばかりしているという意味である。

外国に行っていたとか聞いていたけれども、この老け方は尋常ではない。昔美人だっただけに、つらいものがある。頬がこけ険しい顔つきになっているのに、つくり笑いがいたましい。

「そうかあ、年をとるというのは、こういうことなんだなあ」

彼女にだけ白いライトがあたっているのだが、それがますますまわりから、彼女を隔離している。それにしても、この人、やっぱりどこかヘン。どうしてなんだろう……。

そんなに目を凝らさなくても、すぐに理由がわかる。そお、彼女、毛虫みたいな太い真黒な眉。これって八〇年代に大流行していたものなんですよね。昔、ブルック・シールズなんかも、手を加えないもじゃもじゃの眉をしていて、とにかく太い濃い眉がおしゃれとされていた。

石原さんはおそらく、最盛期の自分のメイクがいちばんいいと信じているのだろう。けれども傍の旬の若い女性タレントは、今風のメイクですごく可愛くまとめている。対比がはなはだしく、本当に損なのだ。

私はしみじみわかった。女の顔にとって、眉がいかに重要かをである。このあいだは、髪が本当に大切だと思ったが、眉も同じぐらいの働きをしているのがわかった。女性誌でやたら眉特集をするわけである。そういえばこのあいだは「幸福眉」というタイトルもあったっけ。

これは女性誌の編集者に聞いた話であるが、今、カリスマ人気となった黒木瞳さんは、一時期人気にやや翳りが出たと言われたそうだ。

「だけど眉を変えたら、またぐーんと人気を盛り返したんですよ。眉ってすごい力を持ってるんですよね」

田中麗奈ちゃんがふつうの眉をしていたら、あんなに人気が出たかしらん。

聖子ちゃんが、嶋田ちあきさんの眉でなかったら、こんなに何度もブームをつくり出すことが出来たであろうか。

しかし石原真理子さんと同じように、あまりにも自分の眉にこだわった揚句、TVから消えていってしまった女優さんは何人もいる。

大原麗子さんという人を、今の若い人はきっと知らないと思う。渡瀬恒彦さん、森進一さんといった大物と結婚していたことでも知られる。大河ドラマの主役をしたりして、もー、大女優と言われる人だったのに、最近全くといっていいぐらいお姿を見ない。

この方も太くアーチ型をした眉がトレードマークであった。けれども全く変えようとはしない。時代劇に出ても、戦前の女の人を演じても、眉を細くはしなかった。

おそらく眉というのは、その人のフレキシビリティをはかるものなのであろう。どれだけ時代にのっていけるか、どれだけ流行をキャッチしているかがわかるモノサシだ。

失礼なことを承知で言うと、石原さんも大原さんも、このフレキシビリティがなかったということだ。石原さんは、昔、今から二十年前と同じ表情をしている。きょとんと小首をかしげたり、「それ、どういうこと」と上目遣いをする。とても寒々とした光景で、私は正視出来なかった。

ああ、美女が美女のままいられるというのは、なんとむずかしいことなのであろうか。このあいだあるレストランで、やけに派手なオバさんがいると思ったら、昔すごい人気の女優さんであった。四十代になると、女は顔がどんどん大きくなる。それをカバーしようとするからメイクは濃くなり、暑苦しくなる。年と共に透明に小顔になっている黒木さんが、ひとり勝ちしているのはあたり前の話である。

さて、私の眉であるが、えらそうなことは言えない。もともと下がり気味の眉をかなり修整しているが、朝は忙しいので、ちょいちょいとペンシルでつけ足すぐらいである。

が、ヘアメイクの人がつくたびに眉を整えてもらっている。そこで最新の形をチェックする。眉は顔の命だもの。

ピンクを着る女

世の中にはふた通りの女がいる。

洋服が好きな女と、買物が好きな女だ。

洋服が好きな女というのは、買った後、ひと通りの儀式をする。家に帰って再び試着し、あれこれ手持ちのものと組み合わせたり、アクセサリーをつけたりする。当然のことながら、おしゃれがうまい。

私はどう考えても、後者の方だ。買物をしたとたん、買ったもののことを忘れてしまう。いや、憶えていることは憶えているのだが、一回新しいのを着ると、それきり心のどこかへ遠ざかってしまうのですね。

いきつけの店の人に、

「このあいだのパンツスーツのお直し、出来てる？」

と尋ねたところ、

「やだー、ハヤシさん。このあいだお持ちになったじゃないですか」

と言われたのであるが全く記憶にない。家を探したところ、階段の後ろのところにハンガーとカバーにおおわれたまま置いてあった！


こんな私であるが、もちろんお気に入りの何点かはある。あれこれ考えるのがめんどうくさい時は、これをパッと着て出かける。いわゆる便利服。その中の一着が、ジル・サンダーのピンクのジャケットである。とても派手なピンクなのであるが、素材が上質なスエードなので品がよくてとてもいい感じ。黒木瞳さんも同じのをお持ちで、スタイリストさんがついていない、プライベートな旅行を撮ったグラビアで見たことがある。黒木さんは素肌にこれを着て、グランジジーンズと合わせていた。とても素敵。


私はとてもこんな着こなしは出来ない。黒のタートル、黒のミニにタイツ、といった無難なコーディネイトですね。が、とても評判がいいのだ。

「なんて綺麗なピンクなの！」

と会う人ごとに誉められる。このあいだは、広告関係のおしゃれな人ばかりの集まりに着ていったところ、

「お、今年の色だね」

と誉められた。が、あまりにも人の印象に残るために、あまりひんぱんに着られないのが残

念である。目立つ服の宿命だ。

ところでこのジャケットを着て、ネイルサロンに出かけた。いつものベージュが塗られる瞬間、「待った！」をかけた私。

「春だし、このピンクに合わせてショッキングピンクがいいな」

そして今、私の爪はものすごく可愛いピンクになっている。皆さんにお見せしたいぐらい。ピンク、ピンク、もともと私の大好きな色。バラを買う時もベビーピンクを選ぶし、ブルーとピンクのトートバッグがあるとしたら、やっぱりピンクを選ぶ。が、昔のようなピンクを着られるはずもない。大人が着るとしたら、うーんと素材のいいもの。そしてピンクでもデザインは辛口にすることであろうか。

ピンクを着る女というのも、私の中ではふた通りに分かれるかな。まずはアンナ・モリナーリ系の甘いピンクを着る女のコである。この代表選手が、私の可愛がってる妹分の美少女、あくらであろうか。下から聖心のお嬢で、子どもの時に宝塚を観ていっぺんにとりこになった。そして高校を中退して宝塚に入り、娘役になった。今は宝塚をやめて、舞台や雑誌のお仕事をちょこちょこしている。家が大金持ちなもんで、全然焦ったりしない。このあいだもパリに、海老蔵襲名披露を観に行ったりしていて優雅なもんです。

「あくら、もっとちゃんとお仕事したいの」

といつも言ってるけど、いずれはお金持ちセレブの奥さんになるんだろうなあと思わせるコ。

こういうコに、ピンクはよく似合うんだなあ。アンナ・モリナーリやモスキーノのピンクって、あくらのためにあるようなもんだもんね。

これとは反対に、政治家やビジネスの世界でピンクを着ている女はすごーく多い。みんな地味なスーツ、なんて思ったら大間違い。

何人か政治家の女性に会ったことがあるが、すごい確率でピンクのスーツを着ていた。やや地が厚い（体型をカバーしている）、カチッとした型のスーツである。女社長でハロッズのスーツを愛用している人がいるけれども、こちらもピンク多用。

男の世界で、マイノリティとして働かなきゃいけない。ガチガチのつまんない女だったら、得することは何もない、ということを彼女たちはよく知っている。それとなく女をアピールするのに、ピンクというのはとてもいい色なんだね。

「男と同じように頑張ってるけど、かわいくて女っぽいところもあるワタシ」

ということで、女性議員や女社長たちもピンクが大好きみたいだ。

昨日ジルのお店で、春物をまとめ買いした。ピンクのコットンのジャケットを勧められた。着てみる。いい感じ。さっそくいただきました。

が、これを買ったことを忘れないようにしなきゃね。誰か夏が近づいたら、

「ピンクのジャケット、どこかで眠ってない？」

と私に注意してね。

女の花道

「ＭＩＳＳ」「25ａｎｓ（ヴァンサンカン）」といったお嬢さま雑誌を読んでいたら、どちらも名古屋特集をしていた。

ご存知のとおり、今の名古屋はとにかく元気。経済もうまくまわっていて、お金もいっぱいある。

そのうえ、昔から名古屋の方は派手な好みで知られていた。ゆえに名古屋のお金持ちのご令嬢たちは、日本でいちばん華やかでゴージャスになっているという。このところ、お嬢さま系雑誌は、やたら名古屋特集をしていたのであるが、今回もすごい。「うへーっ」と声をあげたくなるぐらいの生活ぶりなのだ。

東京というのは面白いところで、どう見てもエレガント系というよりカジュアル系の方が多い。もちろんブランド大好き女性もいっぱいいるが、ブランドをそう表に出さず、シックに着

こなすのがよしとされる。好む色も黒や紺が多く、上質な上着にジーンズの組み合わせがカッコいいとされる節がある。それからうんとお金を持つおしゃれさんも、わざとはずしたりもしますよね。

けれども名古屋は違う。地方都市とはいえない大都会であるが、それでもなんていおうかローカルなパワーに溢れているのである。

エルメス大好きの若い女性が出てきた。バーキン、ケリーを含めて五十個は持ってるんだって。

「すぐパリにファックス打って」

私はハタケヤマに言った。

「このあいだ、今お店でとっといてもらってるけどどうする？　って友だちが聞いてきたオレンジのミニバーキン、あれ買いますッ」

と叫ぶ。

「ハヤシさん、こんなお金持ちと張り合ってどうするんですか」

とハタケヤマに馬鹿にされた。が、出てくる出てくる名古屋のトップレディ。みんなバーキン、ケリーを山のように持っているではないか。中には、私が欲しくてたまらなかった、ルイ・ヴィトンのサクランボ新作を持ってる人もいた。うーん、彼女たちの収入はいったいどうなってるんだ。きっとお父さまか、ご主人の収入がすごくいいんだろう。

このあいだ、お金持ちの旦那さんを持つ、まだ若い友人とランチを食べていたら、ケイタイが鳴った。

「今、うちのカレ、出張で大阪行ってんだけど、エルメスの店に○○○（私もわからない種類）が出てたんだって。もうじき私の誕生日だから欲しいかって……」

この頃私はつくづく思うのであるが、旦那が稼いでいる女の人の方が、ずーっと心おきなく買物をしますね。私はよく、

「ハヤシさんはいいわね。自分で働いてるから好きなものを好きなだけ買えて」

と言われるが、やはり自分の稼ぎで買うとなれば、いろいろ考えることも多い。好き放題買っているようであるが、自分の預金の残高とちゃんと相談している。だから自ら限界というものがある。

が、お金持ちの夫を持つ女の人というのは、何も考えてませんね。ほとんど天井知らず。

「またパパ（ご主人のことですね）に怒られちゃうかしら」

なんていう言い方も嬉しそう。

また彼女たちの旦那というのが、奥さんを甘やかしている人ばかりで驚くことがある。

こういう旦那というのは、もともと派手な女性が好きだ。そして自分の好みに合った華やかな容姿を持つ女性を、甘やかして着飾らせるのが好き。そして妻がわがままなことを言うのも楽しんでいる節がある。

が、困ったことに、こういう男の人っていうのは、他にも同じような女性を求めるのですね。私の知っている限り（知っている限りですよ）、お金持ちで甲斐性があって、奥さんにうんとお金遣ってて、浮気をしていない人はひとりもいない。みんな愛人を持っている。

「ハヤシさん、愛人業界ってすごいですよ」

私の知っているキャリアウーマンの女性は、本気で妻子ある人を好きになった。某企業の社長である彼は、ひっそりと不倫なんてことはしない。愛人同伴でハワイ旅行、ゴルフ、温泉旅行をするグループに入ってるんだそうだ。

そこで繰り広げられる愛人見せびらかし大会。愛人同士も仲よくなり、キャッキャやるが、彼女だけはひとり残される。年もくってて、容姿もふつうレベル。

「私には学歴とキャリアがある。なのにどうしてこんな小娘たちに気を遣わなくてはならないの」

と口惜し涙にくれるとか。しかし彼とは別れられない。

「ハヤシさん、意地でハワイの旅費も、温泉のお金もワリカンにしてもらってます。こんな愛人いるでしょうか」

そう言われても……。話がそれてしまった。名古屋のトップレディたちとは関係ない話であるが、稼ぎがよくて何でも買ってくれる浮気してる夫というのを持ってるとせつないかなあ。ま、いずれ自分も愛人つくるつもりでエステや美容に励む。ま、それはそれで結構いい女の人生かもしれない。ワリカンで愛人業界入ってく女もいいぞ。どっちも誉められないが、女の花道という気がする。

スペシャル美女詣で

久しぶりに京都へ行った。

おまけにゆっくり一泊だなんて何年ぶりだろうか。ここのところ忙しくて、たまに出かけたとしてもさっと日帰りであった。

私が書いた『ａｎｅｇｏ』という小説が、今度日本テレビでドラマ化されることになった。ドラマのスタートの前に、「ａｎｅｇｏスペシャル」ということで、京都の旅番組をつくる。それに原作者も参加してほしいという要望があったのだ。

ここのところデブになったたし、そうでなくてもテレビ出演が苦手な私。しかしちょびっと座談会のシーンだけというので、協力させていただきました。

主演の篠原涼子さんはすごく可愛くて顔が小さい。脚本家の中園ミホさんは、業界きっての美人でこれまた顔が小さい。こういう人にはさまれて座るのはものすごく不利だ。

しかも、しかもですね、私の目の前には「ごくせん」でブレークした赤西（仁）クンが座っているのだ。テレビで見るよりもずっときゃわいい。しかも顔の小ささときたら！　私の握りこぶしぐらいしかないのだ。

アナウンサーの人が質問するたびに、澄んだ瞳でキッとこちらの方を見て、一生懸命に答えるさまが本当にかわゆい。

「それで、それで」

と、ついオバさんの口調になってしまう私であった。

そして一時間ほどの収録が終わり、篠原さんたちは明日早朝ロケがあるということで、遅い新幹線でお帰りになった。

後に残ったのは、やり手と評判の日テレのプロデューサーA子さん（まだ若い）、そして彼女の部下のサブプロデューサーB子さん、中園さん、私の四人である。

「この後どこへ行きましょうか」

「佳つ乃さんのお店を予約してます」

とB子さんが言った。

「京都の人に頼んでおいたんですよ」

「私も行ったことあるけど、ああいうお茶屋だし、女だけで行っても楽しくないいんじゃないの」

「でも私たち、本物の佳つ乃さん見たいんです」

A子さん、B子さん、中園さんが同時に叫んだ。どうやら女にとっても、佳つ乃さんというのは興味シンシンの存在らしい。祇園の花柳界というところにしか生息しないスペシャルな美女を、いっぺんでいいから見たいらしい。

実はこの私、着物の雑誌で佳つ乃さんと対談したことがある。この時私がホステスだったのだが、誰が見ても（あたり前であるが）佳つ乃さんの美しさだけが印象に残った。抜け目ない編集部は、さっそく「佳つ乃の四季」という連載を始めたぐらいである。

久しぶりに会う佳つ乃さんは、相変わらずの美しさ。陶器のような肌、大きな大きな目、そしてぽっちり紅を塗った唇……。桜模様の着物をまとい、障子を背にして座っているさまは、もう息を呑みます。この世のものとは思えない美しさ。

「もおー、私なんかが女やらしてもろてすいません、ごめんなさい」

と謝りたくなってくるぐらい。中園さんやA子さんに言わせると、佳つ乃さんから酌いでもらったお酒を、

「美人になれるおまじない」

として大切に飲んだそうである。

次のお店では、可愛い舞妓ちゃんがいて、お客さんとカウンターに座っていた。私らとは全く関係ないのだが、マスターが、

「○○ちゃん、みんなに千社札あげて」

と言ったところ、

「よろしゅおたの申します」

と一枚一枚手渡してくれた。舞妓さんや芸妓さんにとっての名刺である。桜の花の形をした札に名前が書いてあった。さっそくケイタイに貼る。

それにしても京都というのは美女がいっぱいいるところだとしみじみ思う。それもお金によって贅沢に磨き抜かれ、そして芸の修業で鍛えられたあの美女たちに、関東の女はどんなことをしてもかなわないという気がする。

「ああいう美女にかかったら、どんな男の人も赤子の手をひねるみたいでしょうね」

と中園さんと話がはずむ。占いもして、私といろいろ悪巧みをしてくれる中園さんは言う。

「そういえばハヤシさん、例の男の人とどうしたの。もう仲直りした？」

このエッセイでも何回か言った、つまらんギョーカイ女とつき合っていた男性のことだ。

「女の趣味がサイテー」

と、私は絶交し、それきりである。

「すごくマジメな人だったんでしょう。あんなのハヤシさんにかかれば、赤子の手をひねるようなもんでしょ」

「ところが先を越されてたのね」

「もうとっくにヒネられてた、ってことね」

二人で大笑いし、それからしばらく「先にヒネられる」という言葉が私たちの間で流行った。

が、別の女でヒネられた腕は、もう元には戻らないと思う。そう、春憂《しゅんゆう》の京都であった……。

みちのくの乙女

東京ではとっくに桜が散っていたというのに、青森空港では雪がすごい高さでまだ残っていた。

講演会のために、この地を訪れた私。A子が空港まで私を迎えに来てくれた。A子は長いこと、東京での私の妹分であった。日本舞踊を習いに行ったところで知り合ったのである。

彼女は青森のお金持ちの娘で、大学を出た後、東京にとどまってずっと花嫁修業をしていた。お金がうんとかかる日舞の他に、お茶や懐石料理を習っていたっけ。日舞は師範の腕前で、ものすごく品のある踊りを踊った。

ふつうこういう金持ちの地方のコは、派手でバンバン遊んでいるものであるが、彼女はそういうこともなく、ひとりの恋人と長くつき合っていたと記憶している。

日本風の美人で、ものすごく性格もいい。難点といえば、やっぱりお金がかかりそうという

ことであろうか。大変なグルメで、天ぷらならあの店、お鮨ならあそこ、イタリアンはあそことあそこ、という風にどこも常連だった。この私でさえ舌を巻くぐらい、いろんな店に出入りしていて、日舞の先生は、

「お母さまから縁談頼まれてるの。器量も性格も文句ないけれども、あんなに贅沢に育てられると、お相手はむずかしいかもしれないわねえ」

とよく言っていたものだ。

麻布十番のマンションに住み、東京のありとあらゆるレストラン、ありとあらゆる劇場に出入りしていたA子が、田舎に帰ったのは今から二年前、もう三十代も半ばになった頃だ。長くつき合っていた彼とうまくいかなかったのが原因らしい。

その彼を見たことがあるが、私は直感的にノーを出した。彼女の結婚相手としてお勧め出来なかった。

「いーい、あんなオヤジとは早く見切りをつけるのよ。あなただったら、いくらでもいい相手が見つかるからね」

と言いきかせていたのに、ずるずる二十代半ばから三十代にかけてつき合ってしまったのだ。男性の方はいろいろ事情があって、そうすぐには結婚したがらなかったのである。

結局いろいろヤなことがあった揚句、彼女はおうちに帰った。そして今、典型的な「田舎の負け犬」の日々をおくっているらしい。

一年ぶりに会ったけど、相変わらず綺麗だった。お洋服も素敵。そういえばこのあいだ上京してきた時も、泊まったホテルは六本木ヒルズのグランドハイアットホテルだったわ。

「A子ちゃん、まだイケるよ。頑張ろうよ、こっちの医者か何か見つけて結婚したらどうなの」

「ハヤシさん。こっちじゃ三十過ぎた女に、結婚のチャンスはまずありません」

彼女は雪道を運転しながら言った。

「ハヤシさんが書いていたり、ハヤシさんのまわりの女の人って、日本の女の人口の〇・〇〇〇二パーセントぐらいじゃないですか。あとの女は、私みたいにこうして田舎でジミに暮らしてますよ」

弘前は一年のうち、三、四ヶ月、雪に閉ざされる。みんなうちの中でビデオを見たり、本を読んでいるそうだ。A子の同級生はたいてい高卒で、二十二、三歳に結婚して子どもがいるのがふつうだ。

「それって、二十年前の統計じゃないの」

「いいえ、こちらじゃそうですよ。私なんか三十の後半で結婚もしてないから、もう変人扱い。でも外出することもめったにないからいいんです」

朝八時半に起き、お母さんのつくってくれた朝ご飯を食べ、うちの用事を何だかんだし、犬と遊んでいるうちに一日は終わるそうだ。

「今日はハヤシさんと会うんでお化粧してますけど、いつもは口紅ひとつつけません」

「ちょっとオ、お化粧しないと顔がぼやけるらしいよ」

「でもいいんです。お化粧する必要もないし」

「A子ちゃん」

私は本気で怒鳴った。

「そんな消極的な生き方をしてどうするのッ！　ここで生まれ育って、他の暮らし知らないんならともかく、あなたは十年以上、都会の真中に住んで、いろんなものを楽しんで味わってきた人よ。本気でもっと自分の人生考えなさい」

「でも、すごおく毎日ラクチンで、居心地いいし……。東京にいた日々は幻だったような気がします」

「今はね、そりゃあラクチンかもしれないけど、そのうちに、ご両親も年とって、あなたがめんどうをみることになるのよ」

「でもそれが私の運命だったような気がします」

ひぇー、驚いた。「運命」という言葉がこんなに淋しく使われたのを聞いたことがなかった。

「ハヤシさんのまわりの人たちは、本当に特殊なんですよ」

A子は最後にもう一度言う。

が、かつての〝妹分〟をこの地に埋もれさせてなるものか。私は東京に帰り、めぼしい男のチェックにとりかかったのである。やさしく美しいみちのくの乙女、A子に幸せを見つけたる。

大夜会の前に

自分でもお肉がだぶついているのがわかる。ストレッチのTシャツを着ると、脇腹がぽっこりはみ出す……。そして陽射しが初夏に変わったある日、通りを歩いていた私は、ハッとする。何年かぶりで味わう、このイヤーな感じ……。

そお！　股ずれが起こったのである。

こう言ったらある人が、

「股ずれって何ですか？」

とのたまった。なんて幸せな人であろうか。

えーとね、股ずれというのは、太った人の太った太ももが、歩くたびにこすれて、赤く痛くなることをいうんです。汗ばんでくる季節になると、こすれて歩けないぐらいになる。それじゃジーンズをはけばいいかというと、今度は布の摩擦で、布に穴があく（実話）。

デブであることの屈辱と痛みとを、とことん味わわせてくれる事態である。

もうじきアンアンの大パーティもある。一千人集まり、木村拓哉さんもいらっしゃるという大夜会らしい。

ホリキ編集長から電話があった。

「ぜひハヤシさんに、乾杯の音頭をお願いします」

晴れがましいお役目である。が、この股のだぶつきを何とかしたい。

もうデブはイヤッ。股ずれは痛い……。そして私は決意した。

「そおーだ。ワダ先生を呼ぼう」

希望の星、救世主、ワダ先生。和田式ダイエットで私を十四キロ痩せさせてくれた方である。そお、三年前、私が劇的に変身出来たのはワダ先生のおかげなのだ。けれども食事療法が続かなかったのと、お酒を飲めないつらさに、先生と疎遠になった私。恩も義理も忘れたひどい女である。

こんな私に、先生はもう一度愛の手を差し伸べてくれるであろうか。

ハタケヤマがおそるおそる電話をかけたところ、

「あーら、久しぶりね。もちろんいいですよ。またレッスンしてさしあげますよ」

と快諾をいただいたということだ。

ちなみにワダ先生は、自宅まで来てくださって、一対一で体操を教えてくれる。それから食事療法を徹底的にチェックされる。もちろんお金はかかります。

以前、山田美保子さんのコラムを読んでいたら、

「私ぐらい毎月美容にお金を遣う人はいない。日本一だと思う」

と書いていらした。が、私の方が多いはず。ワダ先生のレッスン料に、週に二回のパーソナルトレーニングジムの料金をプラスしたら、そりゃあすごい額になると思うわ。ま、こんなところでエバっても仕方ないが……。

しかしダイエットにお金を遣うというのは、とてもよいことだ。安くつまらぬものを食べて太ろうなんて、絶対に考えなくなる。それに何より、週に一度、ワダ先生の前で体重計にのるプレッシャーといったらない……。減っていなかったら、どこが悪かったかチェックされるのだ。

そしてワダ先生が、一年半ぶりにわが家にいらした。相変わらずスリムでお美しい。

そして三ヶ月ぶりに体重計にのる私。ガーン、思ったよりずっと増えていた。いちばん痩せていた三年前よりも、十五キロ太ってしまったということになる。

「すいません、もう一度心を入れ替えますので……」

「ハヤシさん、今度こそちゃんとしましょうね」

その後先生は、素晴らしいことをおっしゃった。

「リバウンドしないダイエットというものはありません。ダイエットというのは必ずリバウン

ドします。大切なことはそれを最小限にとどめ、いかに早く元に戻すかということなんです」
二、三キロのリバウンドなら、食事の制限だけですぐに元に戻る。
「だけど十五キロじゃあねえ……」

先生はため息をついた。

「本当に頑張ってくださいよ」

「はい、わかりました」

和田式というのは、ご存知のように炭水化物をいっさいとらない。その代わり九品目のものをお腹がいっぱいになるまで食べる。

「ハヤシさんは、もっと野菜をとらなくちゃいけません。八割が野菜を心がけてください」

その夜のメニューは、野菜いためにサラダ、そしてチーズにのり、貝柱のマヨネーズあえを食べる。食べたものは表に書いておく。

次の日、体重計にのったら、なんと一キロも痩せていたではないか。そして四日めの今日は、なんと二・五キロ減っている。一年間のパーソナルトレーニングによって筋肉が鍛えられていたことも大きいかもしれない。いくらトレーニングしていても、あれだけ食べ、飲んでいた私の体は、余計なものがついていたのだ。

そして今日、アンアンのパーティゆえに、あのシャネルスーツを取り出した。お、ラインがまるっきり違う。スーツの下からのぞいていたニットのぽっこりお腹もぺったんこになってるじゃないの。

おーし、このままだったら一ヶ月で十キロも夢じゃない。また洋服を買いまくる日々がそこに来ている！

スターオーラに打たれた夜

さて「アンアン三十五周年」記念のパーティが、六本木ヒルズのグランドハイアットで行われた。さすがアンアン、東京で今、いちばん人気でおしゃれなホテルである。

私は乾杯のスピーチを頼まれていたのであるが、

「うんとキレイにしてきてね」

というホリキ編集長のお言葉により、美容院に行くことにした。

「それじゃ、美容院が終わる五時に迎えに行きますから」

ということで、ホシノ青年と待ち合わせをした。約束のカフェは青山、六本木ヒルズとは車で五分ぐらいの距離だ。

「じゃ、行きましょう。パーティは五時半からなのよね」

「いいえ、六時半です」

「ちょっとオ、どうして一時間半も待たなきゃいけないの」

「もしも、何かあったら困るので」

ということで、寒々としたホテルの一室に入れられて、私はプンプン。

「ひどいじゃん、どうしてこんなところに閉じ込められなきゃいけないの」

「その、何かあったら困るしぃ、ハヤシさんは一応VIPということで。この部屋、VIPルームなんですよ」

と言いわけするホシノ青年に向かって私は怒鳴った。

「一時間半前から呼びつけられて、待機させられて、そんなVIPあるわけ⁉」

しかし六時半過ぎた頃から、続々とVIPが入っていらした。水泳の北島（康介）選手、米倉涼子さん、本上まなみさんという美形もぞくぞく。もっとゆっくり見ていたかったのであるが、

「ハヤシさん、時間ですから」

ということで、私ひとり部屋を出る。

ボールルームにはすごく大勢の人たちがいた。数もすごいが中身もすごい。芸能界、ファッション界の、本物のVIPがずらりいらっしゃるではないか。

ひととおりのセレモニーがあり、司会の中井美穂さんが、いらしたVIPにマイクを向ける。それをカメラが撮り、会場の巨大スクリーンに映す仕掛けだ。

香取慎吾さんもいらしていた。ちょっとお太りになり、アンアンで「リバウンド シンゴ」という企画をするそうだ。

そしてモデルさん、女優さんたちもいっぱい。長谷川理恵さん、SHIHOさん、中谷美紀さん、石川亜沙美さん、木村佳乃さん、そして、いつのまにか真赤なイヴニングドレスに着替えられた米倉涼子さんの美しいこと。彼女を中心に女優さんたちが集まっていたが、そこで濃いピンク色の「美女オーラ」が、天井まで立ちのぼっているのを私は見た！ 確かに見た！これだけの美女が一堂に会すると、すごく強いオーラが立つのだ。

「すっごいですねぇ、キレイですねぇ……」

ホシノ青年も感動していた。

そこへ、な、なんと木村拓哉さんが登場。ここからものすごいスターオーラが発生。このパーティに来ている人は、有名人慣れしている人ばかりのはずなのに、ひとめ彼を見ようと、前へ前へと動き出したのだ。決して大げさではなく、会場に大きなうねりとどよめきが起こり、一千人近い人々がずずっと移動したのである。

本物のスターというのは、こういうものだなあと、私はつくづく感心したのである。やがてそこへふらっとユーミンがやってきた。デニムの上下という服装なので、まわりの人は誰も気づかない。しばらく立ち話をする。クリップでつくったというメタリックなバッグを持っていて、これまたすごくカッコいい。かなり時間がたってから、中井さんがあわててマイクを持って飛んできた。

「いらしたの、気づかなくって」

「いいの、いいの」

とユーミン。

「私、タダの仕事の時はオーラ消してるから」

さすがユーミンと、会場の人々はどっと笑ったのである。

そのうちホシノ青年が、私の肩をトントンと叩く。

「ハヤシさん、あっちで木村さんがローストビーフ食べてますよ」

あ、本当だ。オーラというのは、畳むことも出来るものなのか。挨拶をした木村さんは、片隅でふつうにお食事していらした。

「ハヤシさん、一緒に行ってちょっと挨拶してくださいよ。僕も近くで見たいから」

「イヤだよ。だって私、会ったことないもん。あんなスターのとこ、初対面で近づけないよ」

「ハヤシさん、二年前にSMAP×SMAP《スマスマ》に出たじゃないですか。初対面じゃないですよッ」

ホシノ青年の言葉に励まされ、私は木村さんに近づきました。すごく勇気いったんだから。

「こんばんワッ、私、ハヤシです。昔、SMAP×SMAP《スマスマ》でお世話になった……」

「あー、そうでしたか」

と、わりとクールな反応でした。私のこと、憶えてないみたいです。

「あなたのおかげで恥かいちゃったじゃないのッ。もうー、ひどいわよー」

ホシノ青年をにらみつけた私。ずっとアテンドしてくれたのにあの日はごめんね。これからも担当よろしくね。

小顔になりたい

ワダ先生にレッスンをしていただいた結果、一ヶ月で五・五キロ痩せた。が、試しに、おととしのパンツをはいたところ、太もものところでひっかかった。全く、38のパンツをはいていたなんて、自分でも信じられない。今よりも十キロ少なかった。この分でいけば、あと二ヶ月で、うんと痩せてたおととしになれるわけだ。もう心を入れ替えて頑張ろう。お菓子なんか絶対に食べないし、お米も徹底的に断つ。

「ハヤシさん、今回は意気込みが違いますね。痩せるペースが早いですよ」

秘書のハタケヤマもつくづく感心している様子。顔も急激に痩せた。頬がそぎ落とされたようになる。このまま垂れたりしないか心配だ。

そんな時、仲よしの女性誌の編集者（注・アンアンではない）からメールが入った。

「ハヤシさん、前からお話ししていた田中先生のところへ行きませんか。たった一回の顔筋ト

レーニングで、すごい小顔になると評判です。私も田中先生のところへ行って、まるっきり顔が変わりました。ハヤシさんもぜひ行って指導してもらいませんか」

もちろんすぐこの話にとびついた私。

「いく、いく、すぐ行く。どんなに痩せた時も大顔の私。小顔になりたい！　どんなところでも、すっとんでいきます」

そして青山のカフェで待ち合わせした編集者のA子さん、久々に会うと確かに顔がほっそりしたようであるが、この方はもともと若いアイドル系の美人である。顔もちっちゃかった。だからそう大きな変化は感じないのであるが……。

「そんなことありません。自分でもはっきりわかるぐらい小顔になりました」

とキッパリ。

そして田中有久子《ゆくこ》先生のスタジオに連れていってくださった。今、すごい話題の「田中メソッド」をつくった方だ。顔のマッサージは、そっとやさしく、という今までの概念を覆した。顔のリンパの流れを変えるために、かなりの力を入れてマッサージをするそうだ。

「それがものすごく気持ちいいんですよォ。もううっとりするぐらい……」

そしてA子さんが案内してくれたスタジオ。初めてお目にかかる田中先生は、写真で見るよりずっと美人だ。美容関係の有名人はこの頃よく目にするが、

「この人にはいろいろ言われたくない！」

と思う人は多い。「美白の女王」ナントカという人は、いかにもうさんくさそう。染め過ぎの髪が全然いけてないと思います。

しかし田中先生は、シンプルな髪、シンプルで上質な紺ジャケ、シンプルで真白いTシャツ、シンプルなジーンズと、全く飾り気なしで綺麗で知的だ。これで来年は還暦だなんて誰が思うだろう。

先日私は、あるところのエッセイで、

「中年女は努力すると、それが暑苦しくなる」

と書いたばかりだ。つまりやたら化粧が濃くなって、いろいろ洋服にくっつけたがるのだ。けれども田中先生は違っていた。お顔にたるみや皺は全くない。時々お年を召した女優さんに見られる、あの不自然な〝引っぱり上げ〟とはまるで違う。キュッと顔全体が上がっているのだ。これじゃ信じるのはあたり前でしょう。

「じゃ、そろそろ始めましょうか」

と鏡の前に案内された。ベッドに横たわるのかと思ったら、座ったままだ。そして「SUQQU」のクリームをたっぷり塗り、マッサージが始まった。

はっきり言って、顔全体の筋肉をこねくりまわしている感じ。こんな経験は初めてだ。しかし全く痛くない。ちゃんと運動をしたような気持ちよさ。そう、体と同じように、顔もエクササイズしたがっていたのですね。

最後に首の下のリンパをぐぐっと動かしてくださる。おー、ものすごく気持ちいい。

「ハヤシさん、すごーい」

傍にいたA子さんが声をあげた。

「まるっきり顔が細くなりましたよ」

あ、本当。頬がすっかりシャープになっているではないか。驚いたことに、私があれほど気にしていた法令線が消えている。

「ハヤシさんは、もともと肌が綺麗だから、あと二、三回すると見違えるようになりますよ」

ついでに「女優メイク」をしていただく。もともと田中先生は、ヘアメイクアーティストだったのだ。

ここでも「目からウロコ」体験がいくつかあった。

「ハヤシさんは目の端に溝があるでしょ。これが垂れ目に見せてるんです」

なるほど。しかしあと十キロ痩せる予定だし、田中メソッドで小顔になるしと、そんなに美人になってどうするんだ。今さらモテても仕方ないよな……などとひとりニヤニヤしていた私。

が、次の日「ａｎｅｇｏ」の番宣で、女優さんたちと座談会をすることになった。篠原涼子ちゃん、戸田菜穂ちゃん、市川実和子ちゃん、山口紗弥加ちゃんと一列に並ぶ。美人は正面で見ても、真横から見ても美しい。しかももともと顔は私の半分の大きさだ。すべてが空しくなる「魔の時」。が、これを乗り越えなくては……。う、う、つらいが頑張る。

ダイエットの大敵

朝晩、小顔顔筋マッサージを一生懸命やっている私である。

しかし不器用な私は、なかなかコツをつかめない。デパートへ行ってもダメ。

「それなら家にいらっしゃい」

という田中宥久子先生のありがたい言葉により、自宅兼アトリエで特訓を受けるようになった。八時半からの早朝トレである。

このあいだは君島十和子さんも加わった。

みなさん、スッピンで十和子さんの隣りに座るなんて、ものすごくイヤなことだと思いませんか? 素顔でも十和子さんは本当に綺麗。肌なんか透きとおるようでシミもシワもない。色の白さが私とはまるで違うのだ。それより何より違うのが骨格で、美人は横顔が整っているというのはご存知のとおり。鼻が前に出て、アゴも出て、口がぐっとひっ込んでいる。よく言うE

ラインというやつだ。

すぐ間近から見ると、十和子さんは完璧なEライン。それにひきかえ私は……。

「美人って、そもそもガイコツから違うと思うんです。だから何をやっても無駄なような気がして……」

つい弱音を吐く私に、田中先生は励ましてくださる。

「ハヤシさん、このマッサージをずっと続けていれば、きっと骨格も変わります。鼻よ、高くなぁーれって祈りながら、両脇をマッサージするんですよ」

そんなわけで九州に一泊する時も、私はマッサージクリームの大瓶を持っていった。私の所属する文化人のボランティア団体「エンジン01」が佐賀でセミナーをする。この団体は、いっさいギャラをいただかない。

「その代わり、夕ご飯はうんとおいしいところにご案内します。いっぱい食べて、いっぱい飲んでください」

主催者の新聞社の社長さんは、昔からの友人だ。まだ若いがものすごいグルメである。ワインにも詳しい。期待がとてもつのる私である。

そして連れていってくれたところは、博多の有名鮨屋である。セミナーに出た五人と二人の関係者だけがカウンターに座るので贅沢このうえない。

しかし私は固い決意で、さっきから身を震わせていた。

「どんなにおいしくてもお鮨は食べない。絶対に食べない」

ご存知のとおり、首から上は田中メソッド、首から下は和田式ダイエットで頑張っている私。和田式は、炭水化物を徹底的にとらない。先日、長谷川理恵ちゃんとご飯を食べたところ、彼女も炭水化物はカットしていた。それも徹底している。私だとお肉のつけ合わせのほんのちょっぴりのワイルドライスとか、トマトのみじんぎりを詰めたパイなどはいただいてしまうのに、彼女は絶対に手をつけない。

「つくってくださったお店の人には申しわけないのですが……」

と恐縮するところが彼女らしい。

さて、お鮨を食べないと誓った私であるが、その心配はなかった。なぜならその前に、キンキ、アワビ、マグロ、アラ（九州特産の大きな魚）といった海の幸が山のように出てきたので、すっかりお腹がいっぱいになってしまったのだ。

けれども思わぬ落とし穴があった。その夜私の隣りに座ったのがかの辰巳琢郎さんだったのだ。彼はなんと九本のワインを持ち込みしている。

「佐賀のワイン屋に行ったら、珍しいものがいっぱい埃をかぶって眠ってたよ。ご主人は売りたがらなかったけど、無理やり買ってきちゃった」

'89年のブルゴーニュのナンタラカンタラは、とても評価が高いそうだ。しかしそのお店では三千円ぐらいで眠ってたんだって。

「ハヤシさん、まずはこの’88年のスプマンテのロゼから飲んで」

シャンパンですね。シャンパーニュ地方でつくられたわけではないので、シャンパンと呼べないだけ。

その他にもどんどん九種類がグラスに注がれる。お酒はもちろんダイエットの大敵。なめるぐらいにしておこうと思ったのに、勧め上手の辰巳さんによって、かなりの量を飲んでしまった。七人のうち、二人はほとんど飲まなかったのだから、五人で九本のワインを空けたことになる。

ホテルに帰ってベッドに倒れ込んだら、電話で三枝成彰さんに起こされた。

「ハヤシさん、ダメだよ。二次会だよ」

次の店のことはほとんど憶えていない。目が覚めると朝の五時半。服を着たまま、化粧をしたまま眠っていた。

「あれ～～」

化粧を落とさずに眠ったなんて何年ぶりだろう。どんなことがあっても、這って洗面所に行った私なのに。年増にこれはつらい。

が、悲劇はそれから四日後、ダイエットの体操の日だ。体重は見事に一キロ増えていた。

「でも先生、隣りに辰巳さんがいて、ワイン勧められて、断る女がこの世にいると思います？」

それもそうよねと、和田先生。

「今度からもっと不細工な男の人と飲まなきゃいけないわねぇ」

そんなのと私、最初っから飲まないもん。ところで顔筋マッサージはそんなわけで一度も出来なかった。

できちゃった婚の法則

若い編集者A君は、今年の暮れに結婚が決まったそうだ。

「じゃ、もう一緒に暮らしてるの」

そういうカップルはとても多い。披露宴はセレモニー準備に時間がかかるので、さっさと一緒に暮らしてしまう（その間に別れてしまう人もいるけどサ）。

「いいえ、相手のお父さんがとても厳しいので、そんなことは許されません。お互い実家にいます」

とA君。

「それどころか、連休に一緒にハワイに行ったら、バレて大騒ぎだったんですよ。相手のお父さんに怒鳴られました」

「えー、いまどき、婚前旅行に怒る親なんかいるわけ」

「そーなんですよー」

「うちのお堅いハタケヤマでさえ、何度も婚前旅行してたわよー。休みのたんびに、彼のいたアメリカ行っちゃってさー」

「ハヤシさん、そんな話、やめてください」

とハタケヤマが顔を赤らめた。

ところでこの頃、〝できちゃった婚〟というのがすごく多い。芸能人の場合、毎月のようにスポーツ紙に出ている。

このあいだサイモンさんと久しぶりに会い、二人でふたつの法則をつくった。
①〝できちゃった婚〟の場合、男の方が格が上だと女が悪く言われる。
②お笑い系の女は結局捨てられる（Ⓒサイモン）。
①の場合、男の方が年下だったり、売れない、あるいは売り出しかかっている芸能人だと、できちゃった婚はわりと好意的だ。
「愛情が優先したのね」

「そうでもしなきゃ、事務所が納得してくれないからって、思いきったことしたのね」

が、反対に男の方が売れていると、なんかもう女たちは許さないという感じである。それは避妊のしくみや状況を、女たちが熟知しているからであろう。

「今日は大丈夫、安心して、って女が言わない限り、男の人はちゃんとしてくれるもんね」

「この男なら結婚してもOK、って思うから、女はそういう嘘をつくのよねー」

まあ結局は羨ましいわけだ。男の人と子どもを両方同時に手に入れた女というのは、勝者の誇りと喜びに充ちている。

「何て言われようと、私、こんなに幸せだもんね」

という光線がびんびん飛びかっている。

そこへいくと可哀そうなのが、かつて噂になった恋人たちだ。最近ではシノラー、古くは相原勇、ゆうゆとか、確かにバラエティ系のタレントさんたちが、ちょっときつい運命をたどっている。

噂になったその中のひとりについて、結婚が決まった俳優さんが、

「彼女とはタダの友だちでした」

と力説していた。

「あれはないんじゃないの」

と私はふんがいした。一度は愛し合ったことのある相手、マスコミに向かって、

「彼女は僕の大切な人です」

と言ってくれた男性が、公の場所で、

「タダの友だちでした」

と言ったら、どんなに悲しいだろう。どうして、

「彼女とは深く愛し合っていて、結婚を意識していたことも事実ですが、お互いの事情で別れました」

と言ってくれないんだろう。私はとても他人ごととは思えず、つらい気分になった。しかし男の人によると、この俳優さんのコメントはとても評判がいい。男らしいとか、女の人を守った、というのだ。

つまりつき合っていたことを公言すれば、彼女とは性的関係があった。つまり傷ものだと、大きな声で言っているようなものだという。タダの友だちだと、ウソみえみえの言葉でも、結婚前の彼女の名誉を守ることになるんだそうだ。

その話を聞いて、

「いまどき、いいトシで恋人がいて、バージンだなんて世間が思ってくれるんだろうか」

と私はつぶやいたのである。

が、世の中にはタテマエというものがある。そして時にはこのタテマエが、女を救ってくれることもあるのだ。

私の友人でドロドロの不倫を長くした結果、かなりの年になった女がいる。男の人は結局奥さんと別れることもなく、彼女は知り合ったばかりの男性と結婚することになった。そのパーティの際、

「この年まで独身でいてよかった。初めてこんなに愛する人とめぐり合うことが出来たんで

す」

と言ったのである。出席した友人たちはみんな彼女の過去を知っていたけれども、まああれはなかったことにしよう。これでメデタシメデタシと頷き合ったのである。

しかしそれにしても、独身の場合、「傷なしのモテない女」として世間に公表されるのと、「経験いろいろありましたけど……」と認知されるのとどっちがいいんだろう。私はもちろん後者の方がいいな。

スーツ姿に魅せられて

急に暑くなり、とてもつらい今日この頃。私は本当に夏に弱い。エアコンのきいたお部屋で、息をひそめるようにして生きている。これで食欲が失くなれば嬉しいのであるが、夏は何を食べてもおいしい。

白ワイン飲みながらのイタリアンもいいし、冷酒できゅっと和食というのも最高だ。ボリュームのある中華も食べたくなる。

が、私は相変わらずダイエットの日々。頑張っているわりには体重が落ちず、ストレスがかなりたまっている。こういう時はいい男を見るに限ります。

ある夏の日、六本木ヒルズの中にある、ちっこいJ-WAVEのスタジオに行った。岡田准一クンの番組に呼ばれたからである。

岡田准一クンといえば、映画「東京タワー」の中で、黒木瞳さんを激しく愛する役。年上の女たちの心をギュッとつかんだ俳優さんだ。二人でお話しするにあたって、岡田クンに本を三冊推薦してほしいということであった。

「岡田クンは、本当に読書家なんですよ。芸能人がよく言う『本を読んでます』なんてレベルじゃありませんからね」

とハタケヤマが言う。

会ったら本当にそのとおりで、私が選んだ三島由紀夫も、村上龍さんの本も、彼はとっくに読んでいた。イメージどおりものすごくナイーブな美青年という感じである。うーん、こういう男のコって、いったいどういう女のコとつき合うだろうか。渡辺淳一先生は、

「いい男ほど押しに弱い」

という名言をおっしゃっている。確かにこういう繊細なハンサムって、ハキハキした女のコに弱いもんです！　だけどヘンなコにつかまらないでねと、私は親せきのおばさんのような気持ちになった。

そして次の日は、いよいよドラマ「ａｎｅｇｏ」の打ち上げパーティであった。場所は青山のワインバー。もちろん赤西仁クンも来ている。

何週間か前、エッセイで、

「打ち上げパーティへ行き、赤西クンのケイタイを聞き出す」

と書いたばかりなので、女性プロデューサーなどがニヤニヤして言う。

「ハヤシさーん、赤西クン呼んでくるわね。だってケイタイを聞かなきゃね」

パーティはスタッフの人たちがいっぱいですごくにぎやかだ。三、四ヶ月家族のように過ごした人々の、お疲れ会とさよなら会である。「ａｎｅｇｏ」は視聴率もよく話題にもなったので、みんなニコニコしている。

脚本家の中園ミホさんによると、ひどい視聴率のドラマの打ち上げパーティは、それはそれは悲惨だそうだ。

「みんなしーんとして、そのうちケンカが起こるの。誰が悪い、お前が悪い……ってさ」

ふーん、そうなのか。

そこへ赤西クン登場。伊達メガネをかけ、最新のファッションに身をかためた赤西クンはすごくかわいい。だけどあのういういしいサラリーマンの〝黒沢クン〟はそこにはいなかった……。私はあのスーツ姿の彼が好きだったんだとその時気づいた。

「仕方ないわよ。私やハヤシさんってスーツフェチだから」

さすが私と好みの男がいつもダブる中園さん。

「あの東西商事のスーツ姿の男性社員たちも、ハヤシさん大好きだったでしょう。私もそうよ」

そう、どうして私はこんなにスーツ姿の男が好きなんだろうか。きちんととめたワイシャツの衿もととかカフスに、たまらない男の色気を感じるの。赤西クンみたいなかわいいコが、スーツ姿になってくれたらもう最高です。

思えば私は若い頃から、マスコミ業界で仕事をしていた。その前は広告業界であった。やくざな男ばっかりと会って、そのうち何人かに手ひどいふられ方をした。そお、悲しい青春時代だったわ。

ふと思ったのだが、あの頃、やたらモテたふりをしていた私。

「男の人とつき合っても、すぐ飽きちゃうの」

「なんか本当に男の人、好きになれないの」

私の話を聞いていた人たちは、内心笑っていたはずだ。が、大人になって自信もつき、それなりの実績もある私は、はっきりと自分がモテなかったと言えるようになった。そのつらい経験が、他の世界の男、そお、スーツ姿の男への憧れとなっていったのであろう。

今でも私は、デイトするのはスーツ姿の男ばっかりである。それもギョーカイ風のスーツではない。官僚、理系サラリーマン風のスーツで、お酒を飲んでいる最中、彼がネクタイをゆるめたりするとドキドキする。電車の中で、新入社員の男のコが、慣れないスーツを着ていると本当に可愛いと思う。

出来たら、岡田クン、赤西クンレベルのいい男が、いっぱいスーツ姿で出てくるドラマ、映画を見たい。その方がＯＬの妄想をかきたてると思うのだがどうだろうか。

そう、そう、肝心の赤西クンのケイタイであるが、全く聞き出せる雰囲気ではなく、

「今度ＫＡＴ‐ＴＵＮのコンサートに行かせてね」

と言うのが精いっぱいの私であった。

プライドにさようなら

アンアンの連載でノー天気に、猫のイラストを描いてた私。

その四日後、愛猫が死んじゃうなんて、いったい誰が想像しただろう。もう十七歳という年寄りだし、この暑さでぐったりしていたし、かなり疲れているなあと思っていたけど……。

日曜日家族揃って出かけ、クーラーを止めていた。その間、脱水症状を起こしていたらしい。お医者さんに連れていって、点滴をうってもらってももう駄目だった。

もともと腎臓が悪く、よく入院していた猫だったけど、こんなにあっけなく死んじゃうなんて……。

「ミズオー！　ミズオー！」

とハタケヤマも、家政婦さんも、みんながわーわー泣いた。うるさいぐらい人懐っこくて、本当に可愛い猫だったわ。

「ケッ、猫ぐらいでそんなに泣くなんて、君たち本当にエキセントリックなんだよ」

と言う夫を、本当に冷たい人だと思った。

そもそも猫とのつき合いは、夫よりもずっと長い。独身時代からの私の悲しみ、喜びをみんな知っているいとしいやつ。

思い出しただけでも、涙がおんおん流れてくる。

余計なお世話だと言われそうだけれども、今、世の中あげてのペットブームで、犬をどこへでも連れてきて、子どもみたいに可愛がっている女優さんがいる。もしものことがあったら、いったいどうするつもりなんだろうか。

「犬が死んだ日から、少年の人生は始まる」

どっかで見つけたいい言葉だ。私はこう言いたい。

「ペットが死んだ日から、女の本当の人生は始まる」

ひとり暮らしの女性が、犬や猫を飼い始める。この時はたいてい二十代で、お泊まりしていく彼もいる。ついでにペットも可愛がってくれて、すごくいい感じ。頭を撫でている男を見て、

「この人って、すごくいいお父さんになりそう」

と胸がキュンとしたりする。

が、月日が流れるのは早い。ペットは十数年生きて死ぬ。その頃彼らを連れてお嫁入りが出来ていればいいが、私の知っているたいていの女性は、独身のまま三十代を迎えます。〝負け

犬〟と飼い犬、飼い猫の組み合わせが多くなってくる。こんな時、ペットに死なれるともうたまらない。百パーセントに近い確率でペット・ロスになる。

私はいったい何のために生きているんだろう。いったい何のために働いているんだろう……、といろんなことを考えるのではなかろうか。が、そこから女は立ち上がらなくてはならない。ペットの死をきっかけに、本当に自分が生きている存在意義を問わなくてはいけないのだ。

などとえらそうなことを言っても、猫の死が悲しくて泣いてばっかりいる私。

そんな時、仲のいい男友だちから電話がかかってきた。彼はペットの死どころではない。ご両親が亡くなったり、病気になったりとかなり落ち込んでいる。

昔は超モテた彼も、もはやおじさんと呼ばれる年代。今までは若さにまかせていろんなことをしてきたけれども、

「いったいオレって、何だったんだろう」

というシンドロームにおちいっている。

私は言った。

「人生を変えなさい」

モテ過ぎたあまり、独身を通していた彼。

「だけど二十年後、あんたはしょぼくれた、さえないひとり者のおじさんだよ。もう定年退職近くなってる、お金もないおじさんだよ」

「やなこと言うなあ」

「あなたのことだから、二十代の若いガールフレンドの二、三人はいるでしょう」

「もっといるぜ」

「だったらさ、そのコたちと次々と関係を持つわけ。あなたさ、オレは避妊の天才だぜ！　ってずっと自慢してたけど、もうそのわけのわからんプライドは今日限り捨てる。とにかくふつうにそーゆーことするのよ。そしてね、その中でいちばん早く妊娠した女のコと結婚するのよ」

「そんな少女漫画みたいなこと、出来るわけねーだろーが」

「だってさ、そういうことするぐらいだから嫌いじゃないんでしょ。嫌いじゃないんなら結婚ぐらい何よ。とにかくあなたが今まで一度もしなかったことを今するのよ。理性もへんなプライドも、思惑をいっさい捨てる。運命にすべてをゆだねるの。まるで揺り籠に入るみたいに、一度運命にすべてをゆだね、ゆっくりと神さまが選んだ方向に進むのよー」

今まで一度もやってみなかったことをする。家庭を持ち子どもを育てる。みんながやっていることをしてみる。

これってウツから逃れる、かなりいい方法だと思う。

「じゃ、私たちはどうすればいいの」

と女友だちが言う。かなりトウの立った人たちだ。

「エイヤっと、いちばん手近な男に身をゆだねる。そんなに好きじゃなくてもいい。自分のことをうんと好きだと言ってくれる男にすべてを託す。一度人生を人まかせにする。その心地よさを試しにしてみるのよ」

頭のいい女ほどこれは効くよ〜〜。

高めの女修業

このところの、東京におけるレストランのオープンラッシュときたらすごい。毎月、いや毎週のように、どこかで素敵なお店が出来ている。

食いしん坊で新しもの好きの私としては、すぐさま出かけたいのであるが、家庭を持つ身としてはそうしょっちゅうは出かけられない。いくら炭水化物とデザートを抜いてもらうといっても、ダイエットも心配だ。

先日は念願の「ベージュ東京」へ行った。銀座のシャネルの上に、アラン・デュカスがオープンしたフレンチだ。お客さんもおしゃれな人ばかりで、とてもいい感じ。

「なんかバブルの時代が戻ってきたみたいね」

「本当。お金を持つ人たちがどっと増えて、どっと遣い出したんだよね」

そんな会話をかわしながら、私たちは絵のようなお皿のお料理を食べ始めた。

さてここのところ、バブルについての取材が多い。当時を題材にした『アッコちゃんの時代』という本が出版されるからだ。すると若い編集者や記者で、

「私、バブルの時代を知らないんですよ」

という人が多いことに驚く。

そうかあ、今や昔のこととなっているのね、たった十三、四年前のことなんだけど。

このあいだなぜか当時の日記が出てきた。笑ってしまう。三日坊主ならぬ、四日間だけ書かれた日記。

それによると、毎晩のように遊びに出かけていたね。結婚する前、バブル前期の頃だ。新しいレストランや、東京ベイのバーなどに四日間のうち三日行っている。そのうち二日は、アンアン編集部でこの欄の担当だったテッオと一緒だ。あの頃、ホントによく遊んでくれていたらしい。

が、ディスコのことは全く記憶にない。どうしてかというと、当時の私は今よりももっとデブであった。動作も鈍い。この私が踊ったりすると、それこそみっともないことになるとわかっていたんだろう。

しかし惜しいことをしたと思うわ、つくづく。あの時私はもうデビューしていて、かなりの有名人になっていた。お金も相当稼ぐようになっていたはずだ。しかし、最初の一冊でいきなり名前と顔が知られるようになった私は、今考えるとすごいストレスをためてしまったんだろ

う。世の中からバッシングされたし、いろいろ意地悪もされた。そのストレスから、私はずんずん太ってしまったのである。今よりも十数キロは体重があった。今もデブだが、あの頃はちょっと異様な太り方をしてたと思う。

本当に惜しいことをした。独身で有名人でお金もあった。男の人といろいろアバンチュールをすることも可能だったかもしれない。もしかすると「六本木の女王」なんて言われたかもね。しかしどんどんデブでブスになっていくばっかりの私。無名時代からのカレと、しょぼくつき合っているのがやっとであった。

あの時の気分を長〜くひきずっている私は、未だに男の人に対して強気に出られない。よってずーっとワリカン人生です。

私は常日頃から、「男に金を遣わせなくてはいけない」と力説してきた。お金を遣うからこそ、執着も愛も生まれるのだ。

ある女優さんの「ワイン日記」を読んでいたら、ものすごい銘酒がズラリ。総額いくらになるんだろうと空恐ろしくなる。が、これってテーブルの向こうに、支払ってくれた男の人がいたわけで、実にアッパレだ。

つい先日、お金持ちの男の人に誘われた。

「おいしいワインを飲ませてくれる店を見つけたからどう」

銀座にあるその店は、路地の奥にある隠れ家のような一軒家だ。いかにもお金持ちがお忍びで使いそう。

ソムリエの人が私に聞く。

「どんなワインがお好きなんですか」

「ボルドータイプの赤。フルボディでね」

イタリアワインやカリフォルニアワインだったら、タカがしれてる。やっぱりうんと高い銘柄は、ボルドーあたりでしょ。

それでその男の人は、'89年のラ・トゥール（高い）ともう一本（名前忘れたが高そう）の二本を注文してくれた。ああ、なんだかとってもいい気分。男の人が目の前でじゃんじゃんお金を遣ってくれるって、なんて気持ちがいいんでしょう。

いつもだったら、編集者とご飯食べてても、

「今日は私が持つべきかしら。でも誘ったのは向こうだしね……」

といじいじ考えるが、もう高めの女になったんだから違うわ。

そしてその後、女の人がいるクラブ、高いバーと二軒ハシゴして、みんなおごってもらった。が、どう帰ったか憶えていない。私は服を着たまま居間のソファで朝を迎えた。時計を見る。五時過ぎだ。

「ウソー！」

寝不足と二日酔いで、私の顔は一・五倍にむくんでいる。しまった。もっとブスになってし

まった。しかし高めの女修業は続けよう。それにしてもワインというのは、男の人が自分にどれだけ気とお金を遣っているかがよくわかるアイテム。女がみんなワイン好きなわけだ。

有名人大好き！

昔のおとぎ話に「鉢かぶり姫」というのがある。

平安時代、母親を亡くした娘が何かのはずみで、頭にかぶった鉢が取れなくなってしまう。みんなからバカにされ、それはそれは悲しい日々をおくっていた。

貴族のおうちで下働きを始めた娘は、ある日若殿さまのお風呂の焚きつけにいく。若殿さまはびっくり。鉢の下からのぞく娘の顔があまりにも美しかったからだ……。

私はよく地下鉄に乗る。朝も毎日乗るが、ラッシュの終わった時間帯にもよく利用する。すると千代田線とか半蔵門線といった、しゃれた街を通過するメトロに、かなりの確率で不自然に帽子をかぶった女性が乗っている。

そお、芸能人お約束の帽子なんですね。ふつうの女のコでも、ファッションでよく帽子をかぶるが、やはり芸能人のそれとはまるで違う。顔を隠すために、深くかぶるのですぐわかる。

それにつくづく思うのであるが、女優さんやタレントさんというのは、顎の線が一般人とはやっぱり違う。唇のカタチもかっこいい。お、と目を引き、中の顔を見たくてたまらなくなってしまう。まさに「鉢かぶり姫」。

「あんな風に深く帽子をかぶると、私は芸能人よ、見てー、見てーって合図をしてるようなもんじゃない。おかしいよね」

と言う人がいるが、私はそう思わない。芸能人も電車に乗ることがあるだろう。車よりもずっと空いているし確実だ。けれどもめんどうくさいことは避けたいと思うだろう。東京の人というのは、そういうところがわりとクールで、有名人や芸能人を見ても騒ぐことはない。といっても、わずらわしいことは起こるかもしれない。そのための予防策として帽子をかぶる。心理的にものすごく安心出来るんだと思う。

ついおとといも電車に乗ってたら、途中から帽子を深くかぶった若い女性が乗ってきた。ジーンズとTシャツ姿であったが、そのスタイルのよさはふつうじゃない。ジーンズも高そうなやつ。そして帽子から見える顎の細さと唇のきれいさ……。

「絶対に有名人だ！」

私は失礼にならない程度に、彼女を観察したのであるが、どうしてもわからなかった。まわりの若い男のコがめざとく何かささやいてくれるかと思ったが、何ごともなく本当に残念であった。

私の年下の友だちでスタバでバイトしている女のコがいるが、やっぱり芸能人はすぐに帽子でわかる、と言う。

「このあいだは、○○○さんがカフェ・ラテをふたつ買いに来てくださいました」

○○○さんというのは、超ビッグスターである。

「もうドキドキして、その後もずうっと目で追いましたけど、店の前に車が停まってたんですね。あの中に△△△がいて、コーヒーを待ってるんだと思ったら悲しくなっちゃった」

△△△というのは彼の奥さんである。私はあの大スターが自分でスタバで買ったことに感動してしまった。それも帽子という魔法のアイテムがあってこそのことであろう。

時々腹が立つのは、ふつうの女のコのくせをして、芸能人っぽく帽子をかぶる人だ。ついこのあいだのこと、オープンカフェでお茶をしていたら、キャップを深くかぶったいかにも芸能人風のコが入ってきた。

「あのコ、どこかで見たわ。ほら、優香じゃなかったっけ」

「ううん、ほら、三人グループのさ」

みんなであらゆる推理をはたらかせたのだがわからない。そうするうち、友だちがやってきたら、彼女はキャップを脱ぎ、なぜか髪をぶるんと揺らした。全くふつうのコであった。

「イヤーね、あんな風にキャップかぶって」

「誤解させないでほしいわ」

みんなぶつぶつ。

しかし何といおうか、街で芸能人と偶然会うのは本当に嬉しい。そのテのレストランや飲むところで見つけてもそう有難みはないけれど、街角や乗り物の中で見ると、得しちゃった感がある。都会のちょっとしたゲーム、

「今日はいいことありそうだな」

という気持ちがわいてくる。

こういうことを言うと、まわりの人たちは、

「ハヤシさんって、どうしてそんなにミーハーなの」

と呆れるが、私はお見かけすると嬉しいだけ。ついこのあいだ深夜のイタリアンレストランへ行ったら、美人女優が女友だちと食事をしていた。対談で何度かお会いしたが、私なんかが隣りのテーブルじゃ気ぶっせいだろうと軽く会釈する。そして食べ終わって店を出た時、私の友人は言った。

「○○ちゃんって、ワイン飲みながら、『私もいろいろつらいのよ。彼っていいかげんなところもあるから。それからうちの事務所もこのところ新人の××に力入れてるし……』とか言ってたわよ」

なんと話をずーっと聞いていたのだ。私はこんな失礼なことしませんよ。ホント。帽子をお取りになっている場所では、一公人として接します。

女仕様の島

夏休みのバカンスに、バリ島へやってきた私。

いまここでいちばんおしゃれとされるホテル「The《ザ》 Dusun《ドゥスン》」に泊まっている。かの「クレア」「ブルータス」の表紙を飾ったこのホテルは、ひとつひとつが塀に囲まれ、広い庭があるヴィラ。プライベートプールに面してオープンエアのリビングとキッチンが、バリ風でとっても素敵。ベッドはもちろん天蓋付きで、薄い白の紗に囲まれて眠るわけだ。

十日間もいて、これといった予定もない。ということは、スパ三昧で過ごせるということだ。

こちらでビジネスを始めた、友人のコウコさんによると、やはりスパは、高級ホテル「リッツ・カールトン」が最高だという。最近ここは、高い断崖に一軒家のスパをいくつかつくり、とても話題になっているという。

「すっごい人気で、なかなか予約が取れないのよ。マリコさん、今のうちにしといた方がいい

フォーハンドマッサージ
思ってたより恥ずかしくない…

わよ」

東京にいる時からせっつかれたぐらいだ。約束の時間に「リッツ・カールトン」のスパ入り口にむかった。このホテル自体、町ぐらいの広さなので、ホテルの入り口からスパの建物まで遠いこと、遠いこと。が、その断崖スパはもっと遠い。スパの受付からカートに乗って行く。そして海に臨む崖っぷちに行き、そこから下へ降りていくと、一軒家が三つぐらい見えてきた。中にはベッドがふたつ。本当はカップルで使うらしいが、私ひとりで占領したため料金は四百五十ドル！ それに二十パーセントの税金やチップがかかり、とんでもない値段になった。私はニューヨーク、パリ、ローマ、タイ、ハワイと、世界中いろんなスパやエステを体験しているがこんなに高いところは初めてだ。

途中、バラの花びらを浮かせたバスに浸り、イチゴをつまみながらシャンパンを飲む。海に夕陽が沈んでいくさまを見ながらだ。

「そりゃー、極楽だけど、やっぱり高いわよ。あれじゃ毎日は行けないよ」

コウコさんに愚痴をこぼしたら、こちらの政府のPR担当もやっている彼女は言った。

「もっとリーズナブルで、面白いところもありますよ。男性のフォーハンドマッサージはどうかしら」

「えーっ、フォーハンドマッサージ!!」

私は女の観光客相手のエッチなところを想像したのであるが、そんなところでは全くないという。

「めい想と禅に基づいたものなの。マリコさんが恥ずかしいんだったら、私も一緒に行ってあげるわ」

そして二人で待ち合わせをして、スーザンさんのところへ行った。アメリカ人のスーザンさんは、スパのカリスマというべき人で、この地で指導者を養成し世界に派遣している。

コウコさんと一緒の部屋かと思ったのであるが、隣り同士でべつべつであった。紙パンツ一枚に大きな布を巻きつけ、ベッドに横たわった。

だけどやっぱり恥ずかしいなあ……。救いといえば、黒いTシャツ姿の男のコ二人が少しもイケメンでないということですね。これがホストみたいな人だったら、ちょっといたたまれないと思うわ。

そして私がうつぶせになる瞬間、彼らはさっと布をはずして上にかける。実に手際よくこちらの体を見ないようにしているのだ。

ま、見たくもないでしょうけど。

ドラが鳴る。目を動かして上を見たら、男のコが二人、手を合わせてめい想の姿勢をしているではないか。これからマッサージを始めるということだ。

布をずらして足をむき出しにし、力を入れてもみほぐしてくれるのであるが、いやあ、その気持ちいいこと。

ここでアジアの女性特有のやさしい手でマッサージされるのもいいけれども、やはり男性の力は違う。ツボがすごくうまくぐいぐいっと押されていく。そして時々ドラを鳴らし、その振動を足のカカトやふくらはぎにあてていく。

後でスーザンさんに聞いたら、

「リラクゼーションということを、体全体に伝えるため」

ということであった。

明日はどこへ行こうかな……。資生堂がつくったスパも森林の中にあって、とても気持ちよさそう。

「石を温めて体にあてる、っていうスパもあるわよ。これもものすごく気持ちいいって評判だけど」

ついでなので、ネイルはもちろんペディキュアもしてもらった。それも東京では絶対しないような大胆なアート。ピンクのハートをビーズが囲んでいるやつだ。こちらの人は目がよいため、こういう細かいことがものすごくうまいのだ。

おーし、この島を〝美人島〟と呼びたい。女が綺麗になるためのものが全部揃っている。ちょっと来ない間にすっかり〝女仕様〟の島になっていた。おかげで夫は退屈らしく、いつもぶつぶつ言ってるが。

女の価値

ふと思いついて京都へ出かけた。

キョート、キョート、本当に楽しいところ。最近とみにこの街のよさがわかってきた。食べ物はおいしいし、街並みはきれい。高級お茶屋からクラブまで、大人のエンターテインメントはどっさり用意されている。京都にしか生息しない、「女のプロフェッショナル」というべき、芸妓さんや舞妓さんといった美女もどっさり。

聞いた話によると、東京のＩＴ長者たちの間で、京都で遊ぶのが流行っているとか。知り合いもいないからせいせいした気分になれるし、あの街はお金持ちを本当に大事にしてくれるから、そりゃあ楽しいはずだ。

もちろんお金がなくても、京都は楽しい。が、はっきり言わせていただくと、夏と冬の京都は、やはりお金がある方が楽しいよ。若い人には向いていない、大人の醍醐味を味わうシーズ

ンだ。

桜や紅葉の季節の京都は、ただ歩いているだけで楽しい。甘味屋さんをハシゴしたり、そこいらのお寺をまわったり、おいしい親子丼のお店に行くだけで幸せな気分。

けれども、夏の京都はとんでもない暑さ。うろうろ歩きまわると、熱中症で倒れそう。大人はどうするかというと、日が暮れてから京都に到着し、タクシーで移動するわけだ。そして打ち水をした涼しいお店で、冷酒なんかいただくんですね。

その夜、京都の友人が連れていってくれたのは、有名なカウンター割烹のお店。ここでいただくのはもちろん鱧《はも》、京都の夏の風物詩だ。それからカウンター形式のお茶屋さんへ行って、おいしいワインを飲んで……。

なーんていう話を、担当の編集者ホシノ青年にしたら、

「いいなあ……。お金持ちってそういう遊びをするんですね」

とヨダレを流さんばかりだ。

が、本当のお金持ちはもっと別のコースをとる。本格的な料亭のお座敷へ行って、芸妓さんや舞妓さんを呼んでもらうわけだ。夏の涼やかな着物をまとった芸子さんたちが座敷に入ってきて、

「今日はおおきにー」

と挨拶する瞬間というのは、女の私でも心が華やいでいいもんだ。

何年か前、東京の大金持ち、財界のおじさま方の京遊びに交ぜてもらったことがある。私の仲よしが有名な「オヤジ殺し」で、

「ひとりじゃイヤだから、一緒に行こうよ」

と誘ってくれたのである。そお、モテる女を友だちに持っていると、いいことがあるという実感を持った夜であった。超高級料亭、嵐山吉兆で食事をとり、途中から裏に用意された舟に乗り込んだのだ。芸妓さん、舞妓さんも、キャッキャッ言いながら乗り込んだ。そしてみんなで川遊び。後ろから吉兆の提灯をつけた料理舟が従いてきて、釣ったばかりの鮎をその場で焼いてくれるのだ。それを私たちの舟に渡してくれる。おじさんたちは、綺麗な芸妓さんが身をほぐしてくれる鮎に舌つづみをうっていた。

そしてそのまま今度はお茶屋さんへ行ってみんなで遊んだ。おじさんのひとりがコンドームをふくらませてボールにし、舞妓さんたちがバレーボールを始めたわけだ。

お金持ちのおじさんというのは、変わったことが好きだなーと、私はいくらか醒めた目で見ていたのであるが、私の友人は違った。

「私も交ぜてー」

とすぐ加わり、ひっくり返ってレシーブしたり、足でコンドームボールを蹴ったりするからおじさんたちは大喜び。やっぱり「オヤジ殺し」といわれる人は、私と根本的に違うと思った。根が明るくて素直なんだわ。

とまあ、いろんな女の人をじっくり観察することが出来る京都であった。

さて、私の京都の友人の何人かは、そろそろトシだから、愛人が欲しいなどと平気で言う。やはり京都では、祇園や先斗町の女性を愛人にするというのは、大変なステータスだそうだ。

「だけどお金が信じられないぐらいかかるからなぁ……」

私は思う。私の友だちの多くも不倫をしているが、一銭ももらっていない。それどころか、〝持ち出し〟になっている例も多い。私の知り合いの編集者は、お金持ちの妻子持ちとつき合って「愛人業界」にデビューを果たしたそうだ。彼の友だちとその愛人たちとの旅行にも行った。

「だけど自費で旅行に来てるなんて私だけ……。キャリアウーマンっていうのは、愛人業界の中ではいちばんヒエラルキーが低いんですよ」

と口惜しがっていた。

京都にくると、そういう不倫がいかに損でつまらないものかつくづく思うはず。美しい女性の価値が、ぴんとはね上がるところなんだもの。

私も女としてのステータスがうんと高い人生をおくりたかった。が、今となってはすべて遅い、すべて空しいわ。だからせめて高いワインを男性におごらせます。

美女入門ストトリート

1997年
『アンアン』にて「美女入門」連載スタート（10月）、最新のヘアスタイルに。
某ヘアメイクアーティストよりメイクの個人レッスンを受ける。

1998年
お食事連続28日間の記録を樹立。
体脂肪率測定つきの体重計を購入。
『みんなの秘密』で吉川英治文学賞を受賞。
ダイヤモンド・パーソナリティ賞を受賞。

1999年
ピアスに挑戦。
長女出産。
都内某所に新居完成。
『美女入門』発売、ベストセラーに。
ベルサイユ宮殿での大夜会に出席。

2000年
『アンアン』登場回数、女性部門第1位に輝く！（『アンアン』30周年）
和田式ダイエットに挑戦。

ル・コルドンブルー日本校にてフレンチ修業。
『美女入門PART2』発売、原宿に大看板設置。
ジュエリー・ベストドレッサー賞を受賞。
日本テレビ「おしゃれ関係」にゲスト出演。

2001年

フランス観光親善大使に任命。
インストラクターの手を離れ、ダイエット独り立ち宣言。
フジテレビ「SMAP×SMAP」にゲスト出演。
すべてを手に入れた末に(!)、『美女入門PART3』発売。

2002年

ダイエット生活再突入。
目の下にヒアルロンサンを注入。
ショートヘアに挑戦。
ルイ・ヴィトン表参道店のオープニング・パーティに出席。
顔の筋トレを開始。

2003年

ミキモト百周年記念の宝石をデザイン、マリコ絵がブローチに。
パリのカリスマ美容師マサトによって最新のヘアスタイルに。
奥田映二監督「るにん」で本格的女優デビューするも、編集段階でカット。
『トーキョー偏差値』発売、セレブ生活を披露。

江原啓之氏らと出雲へ開運ツアー。

2004年

パーソナルトレーナーの指導のもと、冨永愛作戦スタート
（のち天海祐希作戦に変更）。
十和子塾の塾生に。
断食道場にて3日間の断食決行。

2005年

『美女に幸あり』発売、リバウンドの恐怖を訴える。
アンアン35周年大パーティに出席。
田中メソッドの小顔マッサージにトライ。
愛猫ミズオとの別れ。

2006年

中国ハリに挑戦。
英会話レッスンをスタート。
『美女は何でも知っている』発売、「美女入門」生活10年目に突入。

初出　『ａｎａｎ』連載「美女入門」（二〇〇四年二月二十五日号〜二〇〇五年八月二十四日号）

林真理子（はやし・まりこ）
一九五四年山梨県生まれ。コピーライターを経て、作家活動を始め、八二年『ルンルンを買っておうちに帰ろう』がベストセラーになる。以降、八六年「最終便に間に合えば」「京都まで」で直木賞、九五年『白蓮れんれん』で柴田錬三郎賞、九八年『みんなの秘密』で吉川英治文学賞をそれぞれ受賞。著書に『Ａｎｅｇｏ』『アッコちゃんの時代』『ウーマンズ・アイランド』『秋の森の奇跡』『本朝金瓶梅』など、エッセイ集に「美女入門」シリーズ『トーキョー偏差値』『美女に幸あり』などがある。

美女《びじょ》は何《なん》でも知《し》っている
二〇〇六年九月二一日　第一刷発行
著者――林　真理子
発行者――石﨑　孟
発行所――株式会社マガジンハウス
〒一〇四-八〇〇三
東京都中央区銀座三-一三-一〇
電話　書籍営業部〇三(三五四五)七一七五
書籍編集部〇三(三五四五)七〇三〇
印刷・製本所――凸版印刷株式会社
装幀――鈴木成一デザイン室

ISBN4-8387-1715-6 C0095
乱丁・落丁本は小社書籍営業部宛にお送りください。
送料小社負担にてお取り替えいたします。
定価はカバーと帯に表示してあります。

林真理子の大好評既刊本

美女入門

恋に、おしゃれに、大人のセンスアップ。惜しみない努力と前向きな好奇心が女の子を刺激する大好評傑作エッセイ集。　1000円

美女入門ＰＡＲＴ２

モテたい、痩せたい、キレイになりたい！　すべての女性の関心事をマリコ流に鋭く分析＆実践。大好評シリーズ第２弾。　1000円

美女入門ＰＡＲＴ３

女の願望は果てしなく……。もっとモテたい、もっと痩せたい、もっとキレイになりたい！　さらにパワーアップしたマリコ流美女生活。

1000円

トーキョー偏差値

恋も美貌も思いのまま!?　すべてを手に入れた美人女流作家マリコの新たな試練とめくるめく東京セレブの日々。　1000円

美女に幸あり

努力のすえに手に入れた美女生活にゴールなし!?　リバウンドの恐怖がマリコを襲う！　誰もが知りたがるマリコ流美人生活最前線。

1000円

ウーマンズ・アイランド

一人の男の噂がスキャンダラスに語られる街。そこには、最先端の都市で生きる女たちの恋と野望が渦巻いていた――。
女たちの本音と思惑がリアルに交錯する出色の連作短編集。　1300円

（定価はすべて税別です）